S0-AHK-774

WLADIMIR KAMINER

Es gab keinen Sex im Sozialismus

Legenden und Missverständnisse
des vorigen Jahrhunderts

Wladimir Kaminer

Es gab keinen Sex im Sozialismus

Legenden und Missverständnisse
des vorigen Jahrhunderts

GOLDMANN
MANHATTAN

FSC

Mix
Produktgruppe aus vorbildlich
bewirtschafteten Wäldern und
anderen kontrollierten Herkünften

Zert.-Nr. SGS-COC-1940
www.fsc.org
© 1996 Forest Stewardship Council

Verlagsgruppe Random House FSC-DEU-0100
Das FSC-zertifizierte Papier *Snowbright Super* für dieses
Buch liefert Hellefoss AS, Hokksund, Norwegen.

1. Auflage
Originalausgabe März 2009
Copyright © 2009
by Wladimir Kaminer
Copyright © dieser Ausgabe 2009
by Wilhelm Goldmann Verlag, München,
in der Verlagsgruppe Random House GmbH
Umschlaggestaltung: Design Team München
Umschlagillustration sowie Illustrationen im Innenteil:
Copyright © 2009 by Vitali Konstantinov/
www.auserlesen-ausgezeichnet
AB · Herstellung: Str.
Satz: Uhl + Massopust, Aalen
Druck und Bindung: GGP Media GmbH, Pößneck
Made in Germany
ISBN: 978-3-442-54265-9

www.goldmann-verlag.de

Inhalt

Inhalt

Die Telebrücke

Diese Geschichte begann vor dreiundzwanzig Jahren. Damals, in den frühen Achtzigern des vorigen Jahrhunderts, war die Welt noch unerforscht und voller weißer Flecken. Nur wenige Auserwählte durften sie bereisen, um anderen Kulturen persönlich zu begegnen, der Rest war auf die regionale Presse und das Fernsehen angewiesen, wenn er etwas von der Welt wissen wollte. Die Medien wussten damals noch nicht, was eine unabhängige Berichterstattung ist, ihr Weltbild hatte nur wenige Farben: Auf der einen Halbkugel wohnten die Amerikaner, sie trugen komische Frisuren, tranken Whisky und tanzten Rock 'n' Roll.

Auf der anderen Seite wohnten die Russen, sie trugen Pelzmützen, tranken Wodka und tanzten Kasatschok. Beide Seiten waren nicht gut aufeinander zu sprechen und hatten deswegen ihre Länder mit Bomben und Raketen gespickt, um jederzeit sich selbst und die anderen in die Luft sprengen zu können.

Trotzdem gab es auf beiden Seiten immer wieder Versuche, die Menschen der zwei Halbkugeln einander näherzubringen. »Citizen Diplomacy« nannte sich das im Westen. Dort kam ein Mann namens Steve, der spätere Mitbegründer des Computerkonzerns Apple, 1982 auf die Idee, Russen und Amerikaner in einer Fernsehsendung live miteinander reden zu lassen. Diese Idee wurde in Vorbereitung eines Rockfestivals in San Bernardino, Kalifornien, geboren. Für dieses Festival baute die Firma von Steve riesige Bildschirme auf, groß wie Wohnhäuser. Es war eine technische Revolution, dank der fortan Zigtausende gemeinsam fernsehen konnten. Man brauchte nur noch ein spannendes Programm.

Wenn man solche Leinwände an öffentlichen Orten aufstellt und die Fernsehübertragung durch Sateliten herstellt, könnten sich ganze Völker live miteinander unterhalten, dachte Steve. Seine Idee bekam den Namen »Telebrücke« und wurde auf beiden Seiten der ideologischen Mauer von den politischen Eliten mit Respekt aufgenommen. Der Kalte Krieg ging inzwischen allen auf die Nerven, und man suchte nach alternativen Lösungen. So gelangte auch die Abrüstung auf die Tagesordnung.

Am 5. September 1982 fand die erste und gleichzeitig letzte Telebrücke statt. Zum ersten Mal hatten Russen und Amerikaner Gelegenheit, außerparlamentarisch direkt miteinander zu sprechen. Beide Seiten bereiteten sich gut auf dieses Ereignis vor. Auf amerikanischer Seite versammelten sich im Glen Helen Park von San Bernardino zweihundertfünfzig als amerikanische Jugendliche verkleidete CIA-Agenten, um die sowjetische Öffentlichkeit mit hinterhältigen Fragen plattzumachen. Aber die Russen waren auch nicht dumm. Sie hatten in einem Moskauer Fernsehstudio eine komplette sozialistische Arche Noah versammelt: Männer, Frauen, Kinder, Arbeiter und Bauern, Künstler, Intellektuelle, ein paar Gäste aus den Bruderrepubliken, die ganz zufällig vorbeigekommen waren, und dazu noch zwei sozialistische Rockbands mit lustigen unpolitischen Namen wie *Der Sonntag* und *Die Blumen*.

Trotz guter Vorbereitung ging einiges bei dieser Telebrücke schief, wie immer, wenn modernste Technik zum ersten Mal zum Einsatz kommt. Fragen und Antworten waren nicht deckungsgleich, sie mussten ständig hin und her übersetzt werden, bald verstand keiner mehr den anderen. Die verkleideten CIA-Agenten saßen lässig im Park bei Sonnenuntergang, in Russland war es dagegen sechs Uhr morgens. Es fiel meinen Landsleuten schwer, sich um diese Zeit schon auf die Völkerverständigung zu konzentrieren. Gequält lächelnd und angespannt locker saßen sie im Studio. Wie Geiseln, die von unsichtbaren Terroristen bedroht werden und nach außen hin zeigen sollen, dass es ihnen gut geht. Die zivile Kleidung passte nicht zu den Frisuren der Männer, die Frauen dagegen trugen zu viel Schminke im Gesicht.

Trotz der frühen Stunde klebten Millionen in Russland an der Glotze, die Sendung war eine kleine Sensation. Das Gespräch ging jedoch nicht wirklich voran. Die erfolgreichen Ernten und die Fortschritte im Maschinenbau interessierten die amerikanischen Freunde nicht, stattdessen kamen sie gleich zur Sache. Ein großer Blonder in einem Holzfällerhemd wollte wissen, wie es mit dem Sex in der Sowjetunion sei. Unsere Antwort auf diese hinterhältige Frage kam von einer molligen Dame mit einer komplizierten Frisur, die sich im entscheidenden Moment auch noch verhaspelte. Sie wollte dem Amerikaner eigentlich sagen, dass bei uns kein Sex im Fernsehen gezeigt wird, schaffte aber nur den halben Satz: »Bei uns in der Sowjetunion gibt es keinen Sex, äh – äh …« Der Rest ging im Gekicher der CIA-Agenten unter.

»Das glaube ich euch nicht!«, blaffte der Holzfäller im Hemd durchs All. »Ihr seid doch alle irgendwie auf die Welt gekommen!«

Die ganze Belegschaft des Glen Helen Parks fing an zu lachen. Es gab keinen Sex im Sozialismus! Dadurch gelang es den Amerikanern noch einmal, die Überlegenheit ihres Systems deutlich vorzuführen – sie gewannen die Telebrücke. Und die Dame mit der komplizierten Frisur hatte ihre Landsleute mithilfe der modernsten Kommunikationsmittel für immer zu Sex-Deppen abgestempelt.

In Wirklichkeit gab es in der Sowjetunion natürlich jede Menge Sex, überall und rund um die Uhr. Es gab Gruppensex und Sex allein, es gab Sex im Kosmos und in der Landwirtschaft, zu Hause und bei der Arbeit, im Sitzen und im Stehen. Nur eben nicht im Fernsehen.

Die Medizin des vorigen Jahrhunderts

Ärzte und Patienten haben oft ein Verständigungs-
problem, eine Interessenkollision. Der Patient hofft
auf schnelle Heilung oder zumindest auf Erleichterung. Er verlangt nach einer Tablette, nach ein paar
Tropfen, im schlimmsten Fall wird sogar eine Spritze
in Kauf genommen, Hauptsache, es hilft. Der Arzt
will aber in erster Linie nicht schaden. Er weiß, dass
die meisten Krankheiten von allein weggehen, und
wenn nicht, dann kann auch der Arzt wenig machen.
Es gibt Milliarden gefährliche Viren, Bakterien, Pilze
und andere Krankheitserreger auf unserem Planeten
und vergleichsweise wenige Ärzte. Ihre Möglichkeiten

sind begrenzt. Und trotzdem kann allein der Anblick eines Arztes schon gesund machen. Besonders gut funktioniert das bei Kindern. Sie werden in der Regel in dem Moment gesund, wenn der Mann im weißen Kittel seinen Doktorkoffer aufmacht. Meine Tochter lag mit vierzig Grad Fieber im Bett, die halbe Nacht versuchten wir, die Temperatur zu senken, dann riefen wir aus lauter Verzweiflung doch den Notarzt an. Als dieser erschien, kam unsere Tochter mit einem Plastik-Automobil in den Korridor gefahren, um ihn zu begrüßen.

Neulich bekam mein Sohn eine Magendarmgrippe. Mit Fieber und Nasenbluten lag er im Bett und klagte über unerträgliche Schmerzen im ganzen Körper. Als der Arzt kam, erzählte ihm Sebastian, ihm gehe es eigentlich blendend, gar nichts tue ihm weh, und das Nasenbluten hätte er schon immer gehabt, von Geburt an, das störe ihn überhaupt nicht.

Die Ärzte wissen um die Wirkung, die sie auf Patienten ausüben, und versuchen sogar, ihre Autorität mithilfe komplizierter technischer Geräte noch zu stärken. Sie legen den Patienten in eine speziell dafür entwickelte, Eindruck schindende Röhre, röntgen ihn dreidimensional, messen alle seine Impulse. Und schon geht es ihm besser. Auch im vorigen Jahrhundert setzte die Medizin vor allem auf natürliche

Heilung. Nur wenn dem Patienten etwas auseinanderplatzte oder abfiel, kam der Arzt mit einem Krankenwagen und nähte es wieder an.

Die sowjetischen Ärzte sind mir nur nähend in Erinnerung geblieben. Ich war fünf Jahre alt, als mich zum ersten Mal ein Krankenwagen aus dem Kindergarten abholte. Der Unfall ereignete sich direkt auf unserer Spielwiese, die außer einer Schaukel und einem Sandkasten nichts zu bieten hatte. Neben der Wiese stand ein kaputtes altes Auto ohne Türen und Räder, aber mit Lenkrad und Sitzen. Mit diesem Auto wollten alle gerne spielen, doch die Spielwiese war mit Maschendraht eingezäunt. Wie in jedem sowjetischen Zaun gab es auch in diesem ein Loch, jedoch ein viel zu kleines, um durchzukriechen. Wir vergrößerten es nach Kräften. Eines Tages war es soweit, ich übernahm freiwillig die Rolle des Versuchskaninchens und kroch hindurch. Mein Ausbruch aus dem Kindergarten gelang nur zum Teil. Der obere Teil des Körpers kam durch, der untere blieb stecken. Wie eine Fliege im Spinnennetz hing ich in dem Drahtzaun fest, es ging weder vorwärts noch rückwärts. Ein Kindergartengenosse wollte mir mit einem Tritt helfen. Die anderen schlossen sich ihm an, außerdem rüttelten sie am Zaun. Dadurch verlor ich das Gleichgewicht, schlug mit dem Kopf auf der Erde auf, und mein Aussehen war ziemlich zerkratzt. Die Wunde sah allerdings schlimmer aus, als sie tatsächlich war. Innerhalb von fünfzehn Minuten kam ein Notarzt, und ich wurde am Kopf genäht. Aber bei einer Verletzung blieb es natürlich nicht:

Die beliebteste Beschäftigung der Kinder in unserem Bezirk war, das alte Gras anzuzünden, wenn im April der Schnee schmolz. Manchmal sammelten wir dieses Gras zu einem Haufen und machten Feuer. Der Rauch stieg in den Himmel, es roch nach Frühling. Mein Nachbar erzählte mir, wenn man eine Dose mit Haarlack in einem Glas ins Feuer stelle, fliege sie wie eine Rakete in den Himmel. Mitte April, pünktlich zum Tag der Kosmonautik, legten wir mehrere solcher Dosen ins Feuer. Sie benahmen sich unterschiedlich, die meisten brannten einfach ab, aber eine schoss mir direkt ins Gesicht, und ich wurde erneut am Kopf genäht.

Ein Jahr später entdeckte der gleiche Nachbar am Elektromast hinter unserem Haus ein kleines Türchen. Wir konnten uns überhaupt nicht vorstellen, wozu ein Mast ein solches Türchen brauchte und was sich dahinter versteckte. Mein Nachbar brach das Türchen auf, ich steckte meine Hand hinein, es machte *klick*, ich bekam einen tollen Verband und durfte zwei Wochen lang die Schule schwänzen.

Im Winter spielten wir bei minus zwanzig Grad Eishockey auf dem Hof, zwischen einer Mülltonne und einer Garage. Das Garagentor diente uns als Tor. Ich lief mit herausgestreckter Zunge hin und her, hatte Durst und machte an dem Tor einen kurzen Halt. Ich kann es mir heute nicht wirklich erklären, was mich damals dazu bewegte, am Garagentor zu lecken. In weniger als einer Sekunde klebte meine Zunge am eisernen Tor fest. Der Krankenwagen kam erst eine Stunde später, zuvor hatte man mich mit eiskaltem Wasser vom Tor gelöst. Ich wurde nicht genäht, aber jedes Mal, wenn ich jetzt eine Garagentor-Werbung sehe, bekomme ich ein Brennen auf der Zunge.

In der Schule gingen wir zum Schwimmunterricht in die *Schwimmhalle Moskau*, die einzige Badeanstalt unter freiem Himmel. Eine lange Marmortreppe führte ins Wasser. Einmal wollte ich ein bisschen angeben, nahm ordentlich Anlauf und machte einen Kopfsprung. Am Ende fehlten mir jedoch zwei, drei Stufen bis zum Wasser. Aus einem Köpper wurde ein Bauchklatscher auf der Treppe. Das Wasser um mich herum färbte sich rot. Ich wurde noch in der Schwimmhalle von einem Badearzt genäht.

Später, in der Armee, ereigneten sich ähnliche Unfälle, die nichts mit militärischer Ausbildung, sondern nur mit der eigenen Dummheit zu tun hatten.

Dreimal wurde ich auch in verschiedenen Berliner Krankenhäusern nach kleinen Unfällen genäht, deren Ursache in der zu schnellen Bewegung in zu dunklen Räumen und an allzu schlecht beleuchteten Baustellen lag. Mein Kopf ist voller Nähte. Eine heilende Tablette gegen alles wurde mir nie verabreicht.

Unbekannte fliegende Objekte

Aufmerksame Leser beschweren sich gelegentlich in ihren Briefen, dass ich nur Kurzgeschichten und keine Romane schreibe. Sie fragen, ob ich nicht endlich etwas Größeres in Angriff nehmen will. Ich verweigerte bisher die ehrliche Antwort, weil sie so banal ist: Ich habe fast alle meine Geschichten aus Zeitmangel und Langeweile im Zug geschrieben. Mit meinem Schriftstellerglück erwischte ich dabei fast ausschließlich alte ICE-Züge, die breite, muffige Sessel, aber keine Steckdosen haben. Der Akku in meinem Laptop reichte für maximal fünfundvierzig Minuten, deswegen waren die Geschichten lange Zeit extrem kurz. Vor einem Jahr legte ich mir noch einen zusätzlichen Akku zu, woraufhin die Geschichten etwas länger wurden, aber ein Roman ist trotzdem nicht drin. Deswegen blicke ich manchmal nostalgisch zurück auf die Zeit, als man noch alles per Hand schrieb. Mit Zunge im Mundwinkel und Tintenflecken an den Fingern habe ich mich als Schüler bemüht, jeden Buchstaben einzeln aufs Papier zu kritzeln. Langsamkeit lag damals in der Luft. Egal, was man vorhatte, es vergingen Jahre, ehe man damit fertig wurde. Damals waren Computer noch nicht erfunden, und eine elektrische Schreibmaschine konnte einem mit ihrem schnellen *Zack-Zack* Schrecken einjagen. In den Kinos lief gerade der erste *Terminator* an, Zigaretten waren billiger als Brot, und einen Taschenrechner zu haben, galt als schick.

In dieser wunderbaren Zeit trafen die Menschen überall und weltweit auf unbekannte fliegende Objekte. Diese Objekte in Form von Feuerkugeln oder Untertassen flogen entweder an ihren Fenstern vorbei, oder sie hingen einfach in der Luft. Manchmal landeten sie in ländlichen Gegenden, wobei sie grüne und schwarze Spuren hinterließen – Ovale, Quadrate und komplizierte geometrische Zeichen.

Aber auch ohne diese UFOs herrschte damals kein Mangel an unerklärbaren Phänomenen. Im Norden

wütete der Schneemensch Yeti, die Fotos seiner Fuß-
abdrücke in der Größe hunderteins gingen um die
Welt. Im Süden wurde eine Gruppe Archäologen regelmäßig von einer wild gewordenen Mumie mit
Spitznamen »Ramses« verfolgt und zum Teil sogar ge-
schwängert. Die Presse berichtete ausführlich über
die Australierin Elisabeth John, die mit Ramses in
Kontakt kam und wenig später einen Sohn gebar, der
sofort nach seiner Geburt in einem Internat für Hoch-
begabte in der Schweiz vor der Öffentlichkeit ver-
steckt wurde. Die Mumie »Ramses« wurde von einer
Spezialeinheit quer durch Ägypten gejagt, schließlich
in der Wüste umzingelt und angeblich ausgelöscht,
aber nicht ganz. Ihre Überreste wurden jedoch nie
gefunden. Laut einer alten Prophezeiung sollte die
Mumie, wenn es ihr gelang, für Nachwuchs zu sorgen,
unsterblich werden. Nicht zuletzt die großzügigen
Unterhaltszahlungen an den Mumiensohn, die über
Jahre regelmäßig von einer Bank in den Arabischen
Emiraten in die Schweiz überwiesen wurden, dienten
dafür als Beweis.

In Schottland schwamm zur gleichen Zeit das Ungeheuer von Loch Ness herum, immer wieder streckte
es seinen fünf Meter langen Hals aus dem Wasser, aber
immer nur dann, wenn die am Ufer stehenden Touristen gerade keinen Film in ihren Kameras hatten.

Die Bereitschaft, einem Wunder zu begegnen, war im vorigen Jahrhundert enorm hoch. Jeder sah, was er sehen wollte. In Russland waren es überwiegend Außerirdische, allesamt klein, grün und sehr gefährlich, manchmal auch noch mit kleinen Hörnern oder durchsichtigen Kugeln auf dem Kopf. Jeder Bürger, der etwas auf sich hielt, musste ihnen mindestens einmal im Leben begegnet sein. In jeder Großstadt gab es einen Ort, der bei den Außerirdischen besonders beliebt war. In Moskau stand eine Birkenheide in der Nähe der Chaussee der Enthusiasten in dem Ruf, ein begehrter Landeplatz für Besucher aus dem All zu sein. Dort hielten die Moskauer Ufologen Wache, um Kontakt mit den fremden Intelligenzbestien aufzunehmen. Letztere mieden jedoch die bärtigen Ufologen, stattdessen nahmen sie oft und gerne Kontakt zu jungen Frauen aus der Moskauer Umgebung auf. Regelmäßig berichtete die sowjetische Presse über Schwangerschaften durch Außerirdische. Die meisten jungen Mädchen wurden in hypnotisiertem Zustand von einer grünen, leuchtenden Pfütze eingesaugt und wenig später auf der Chaussee der Enthusiasten ohne jede Erinnerung wieder abgesetzt. Manchmal fielen auch ältere Menschen den Außerirdischen zum Opfer: Kranke wurden durch diese Kontakte gesund, Gesunde krank. Die kritische Wende in der Beziehung zu den Außerirdischen kam nach dem Zerfall der Sowjetunion. Ab da wurden die Kontakte immer seltener, bis sie Mitte der Neunzigerjahre völlig abbrachen. Als hätten die Besucher aus dem All nach dem Fall des Sozialismus jegliches Interesse an uns verloren.

Aber auch andernorts machten sie sich aus dem Staub. Vieles deutet darauf hin, dass sie unseren Planeten nicht mit leeren Händen verließen. Sie nahmen den Schneemenschen Yeti mit, das Ungeheuer von Loch Ness, das Bermuda-Dreieck, den Fliegenden Holländer und die unsterbliche Mumie »Ramses«, deren Sohn inzwischen in meinem Alter sein müsste. Er ist alles, was wir noch haben. Ich hoffe, es geht ihm gut.

Die Grundfragen des vorigen Jahrhunderts

Im Nachhinein ist man immer klüger, aber nie klug genug. Man lebt vor sich hin, schließt mal die eine, mal die andere neue Bekanntschaft, geht am Wochenende ins Kino, meckert über dies und das, um dann eines Tages plötzlich festzustellen, dass eine zauberhafte, erfüllte und glückliche Zeit an einem vorbeigezogen ist, ohne dass man es gemerkt hat.

Ich war schon immer ein Spätentwickler und Nachdenker. Die Tatsache, dass ich in einer sozialistischen Diktatur aufgewachsen bin und ein Vierteljahrhundert darin verbracht habe, ist mir erst im Nachhinein bewusst geworden – als diese Diktatur längst den Löffel abgegeben hatte. Noch später erfuhr ich, wie schlecht die Welt auf unsere Diktatur eigentlich zu sprechen gewesen war. Die Welt hielt sie für dämlich und gemeingefährlich. Den Beweis dafür lieferten die fiesen Pseudorussen aus den alten und neuen amerikanischen Actionfilmen. Sie waren allesamt wild, unrasiert und unberechenbar. Selbst wenn sie keine Uniform trugen und eigentlich auf der amerikanischen Seite kämpften, stolperten sie durch den Film wie betrunkene Bären.

Dabei hatte sich unsere Diktatur stets bemüht, nach innen und außen gut auszusehen. Sie investierte dafür Unsummen in Bildung, Medizin und Ballett und forderte von allen ein ordentliches, geregeltes Leben. Je nach Altersgruppe waren die Bürger in unterschiedlichen Vereinen organisiert, wo sie einen Schwur zu leisten und gut sichtbar Zugehörigkeitsabzeichen zu tragen hatten. Mit sieben wurde man ein Oktoberkind, bekam einen Stern mit einem molligen jungen Lenin darauf und schwor Fleiß und Disziplin, das hieß, nur gute Noten nach Hause zu bringen und in der Schulkantine immer alles aufzuessen, ohne den Inhalt des Tellers anzusehen.

Mit dreizehn wechselten die Oktoberkinder zu den Pionieren. Sie bekamen ein rotes Halstuch umgewickelt, das sie unter keinen Umständen abnehmen durften, bevor sie sechzehn Jahre alt waren. Die Pioniere schworen, den Schwachen zu helfen, Altpapier und Altmetall zu sammeln sowie Omas über die Straße zu helfen. Papier und Metall durften sie natürlich nicht auf eigene Faust sammeln, sondern nur an bestimmten Tagen und an speziell dafür eingerichteten Orten, wo die vorherige Pioniergeneration das ganze Zeug liegen gelassen hatte. Die Omas durften sie dagegen in Eigenregie über die Straße bringen. Alle diese Pflichten wurden ordentlich in entsprechenden Papieren registriert. Die genauen Zahlen habe ich nicht mehr im Kopf, aber ich glaube, zehn Omas pro Monat waren geplant, acht wurden geduldet. Deswegen lauerten die Pioniere oft am Ende des Monats an großen Kreuzungen, und so manche Oma musste gleich mehrmals hintereinander die Straße überqueren – auch wenn sie gar nicht auf die andere Seite wollte. Die Opas warteten derweil an der Ampel.

Wenn ein Pionier sich nicht an die Regeln hielt, wurde er aus dem Verein ausgeschlossen und zum Oktoberkind herabgestuft. Für so manche zarte junge Seele war das eine echte Tragödie. Die ausgewachsenen Pioniere dagegen wurden mit Erreichen der Volljährigkeit vom Halstuch befreit und zu Komsomolzen ernannt. So ging es immer weiter, bis unsere

Diktatur plötzlich kollabierte und Millionen alte und junge Pioniere quasi über Nacht aus der Pflicht entlassen wurden. Ein Schock. Die Omas hatten keine Angst mehr, über die Straße gezerrt zu werden, Altpapier und Metall wurden fortan von parteilosen Erwachsenen gesammelt und für teures Geld ins westliche Ausland verkauft, die roten Halstücher und Abzeichen erwarben amerikanische Touristen. Keine Seele weinte der Diktatur eine Träne nach. Auch die Jugendvereine vermisste niemand wirklich. Sie hatten unser Leben nur äußerlich geprägt, sie waren nichts weiter als ein Spiel mit dem Staat gewesen. Die wirklich ernsten, grundlegenden Dinge, die jeden Pionier und Komsomolzen beschäftigten, hatten nichts mit den staatlich organisierten Vereinen zu tun. Es waren die ewigen Fragen: Sehe ich gut aus? Warum hat der eine Freundin und ich nicht? Und wenn ich eine hätte, wo würde ich mit ihr hingehen?

Im Sozialismus wohnten die Menschen eng zusammen, nur selten hatte jemand eine elternfreie Bude zur Verfügung. Ich weiß noch, wie meine Eltern am 19. April 1982 für eine Woche ans Schwarze Meer fuhren und mir zum ersten Mal die Wohnung allein überließen. Ich durchlebte gerade eine schwierige Phase. Zwar trug ich schon einen Schnurrbart, war also kein Jungpionier mehr, aber noch immer Jungfrau. Jeden Tag ging ich jetzt voller Hoffnung in der Stadt spazieren; ich ging ins Kino, ich ging in den Park, ich ging sogar in den Zoo. Dabei lächelte ich unbekannten Gleichaltrigen zu und signalisierte ihnen: elternfreie Bude. Ich hatte das Gefühl, in dieser Woche würde etwas sehr Wichtiges passieren, es passierte aber nichts. Am vorletzten Tag meiner Freiheit rief mich Alexander an, ein ehemaliger Mitschüler, der in unserer Klasse als Macho und Mädchenschwarm galt.

»Ich habe zwei Superschnecken aufgerissen, wir fahren jetzt zu dir«, gluckste er in den Hörer.

»Hast du Geld? Kannst du etwas zu trinken kaufen? Etwas zu essen wäre auch nicht schlecht«, ergänzte eine weibliche Stimme aus dem Hintergrund.

Ich nahm das ganze Geld, das ich besaß, und rannte damit in ein Geschäft. Dort kam ich ins Grübeln. Ich wusste nicht, was Superschnecken gerne trinken und essen. Für alle Fälle kaufte ich alles, was irgendwie verführerisch wirkte: eine Sahnecremetorte »Schneewittchen«, Schmelzkäse, fünf Büchsen Sprotten, Bier, Wodka und drei Flaschen süßen Portwein. Zu Hause packte ich das Ganze auf dem Küchentisch aus, zog mir ein sauberes T-Shirt an und wartete. Dreißig Minuten später kam Alexander mit zwei Mädchen. Die eine hieß Vika, sie war sehr groß und dick, die andere hieß Julia und war genau das Gegenteil: sehr klein und dünn. Wir saßen in der Küche am offenen Fenster. Die Mädchen aßen schweigend die »Schneewittchen«-Torte – mit einem Gesicht, als hätten sie nur wegen dieser Torte den weiten Weg auf sich genommen. Mich würdigten sie keines Blickes. Ich konnte nichts essen, deswegen trank ich nur. Schnell war alles, was ich für die Party eingekauft hatte, vernichtet. Die Mädchen gingen auf den Balkon, um eine zu rauchen.

»Welche willst du?«, fragte mich Alexander.

»Mir egal, ich überlasse dir die Wahl«, sagte ich, kam dann aber doch ins Grübeln.

»Na gut, in Ordnung«, unterbrach Alexander meine Gedanken, »ich sehe schon, du stehst auf die Große, kann ich verstehen.«

Kaum hatte ich Luft geholt, um ihm zu widersprechen, war er schon in Richtung Balkon verschwunden.

Eine halbe Stunde später saß die dünne Julia bereits auf dem Sofa. Alexander flüsterte ihr irgendwas ins Ohr, aber sie reagierte nicht. Die lange Vika hockte auf dem Fensterbrett in der Küche und spuckte aus dem Fenster. Ich stand neben ihr und fühlte mich wie ein Vollidiot.

»Es wird heute bestimmt noch regnen«, meinte Vika.

»Ja«, bestätigte ich.

»Hast du noch etwas zu trinken?«, fragte sie.

Ich suchte nach einem Flaschenöffner für den Wein.

»Echte Männer machen das anders«, meinte Alexander und versuchte, der Flasche mit einem Küchenmesser den Hals abzuschlagen. Es ging daneben, und eine große Portweinpfütze bildete sich auf dem Boden. Ich plünderte die Alkoholreserven meines Vaters. Julia verkündete laut, es gehe ihr schlecht, sie müsse sofort ein Bad nehmen.

»Ich komme mit«, japste Alexander und lief hinter ihr her in Richtung Badezimmer.

»Ich will nach Hause, ich bin müde«, sagte Vika und ging ihren Mantel suchen. Im Korridor lehnte sie sich an den Schuhschrank, der sofort zusammenklappte und auseinanderfiel. Vika zog ihren Mantel an, setzte sich auf den Boden und schlief ein. Ich setzte mich daneben und überlegte heftig, wie ich die Sache mit dem Schuhschrank meinen Eltern plausibel machen könnte. Die einzige Lösung, die mir in den Sinn kam, war, den Schuhschrank ganz verschwinden zu lassen, das heißt ihn auseinanderzunehmen und in kleinen Stücken vom Balkon zu werfen. Dann konnte ich meinen Eltern gegenüber behaupten, einen Schuhschrank im Korridor habe es in Wirklichkeit nie gegeben.

Die große Vika wachte auf und half mir beim Schuhschrank-Auseinandernehmen und Runterwerfen. Danach verteilten wir die vierzig Paar Schuhe aus dem Schrank gleichmäßig in der Wohnung.

Aus dem Bad hörte man Wasserplätschern und Geheul. Die Tür war von innen verschlossen. Als meine Aufforderungen, die Tür zu öffnen, ohne Antwort blieben, bat ich meine große Freundin, die Tür aufzubrechen. Sie tat das mit Freude. Gleich beim ersten Anlauf brach die Tür in der Mitte durch. Ein Bild des Grauens bot sich unseren Augen: Die Reste der Sahnecremetorte »Schneewittchen«, mit Sprotten, Schmelzkäse, Schwarzbrot und Bier vermischt, schwammen in der Badewanne. Mittendrin saß Alexander, vollständig angezogen mit geschlossenen Augen. Julia begoss ihn mit der Dusche und sang dabei ein mir unbekanntes, sehr trauriges Lied. Mir kamen die Tränen.

»Vielen Dank, dass ihr alle zu mir gekommen seid«, sagte ich und umarmte alle nassen und trockenen Anwesenden. Dann hatte ich einen Filmriss, das heißt, ich weiß nicht, ob und wenn ja, wann und wie sie die Wohnung verlassen haben.

Am nächsten Tag kamen meine Eltern braungebrannt und glücklich vom Schwarzen Meer zurück. Aber kaum hatten sie die Wohnung betreten, wurden sie wieder blass. Am nächsten, übernächsten und überübernächsten Tag sammelte ich zusammen mit meinem Vater die Schuhschrankteile im Hof ein, reparierte die Tür, wischte alles auf und wusch ab.

Eine Woche später meldete sich Alexander: »Ich habe zwei geile Schnitten aufgegabelt, unglaublich scharf, wir fahren jetzt zu dir, kannst du …« Ich legte schnell auf.

Der Schnee des vorigen Jahrhunderts

Das Verhältnis von Raum und Zeit war im vorigen Jahrhundert ziemlich eigenartig. Man vergeudete viel Zeit in kleinen Räumen, die mit großen Sachen vollgestellt waren. Vor allem aus den Sechzigern und den Siebzigern sind mir fast nur sperrige Dinge in Erinnerung geblieben. Der Küchentisch in unserer kleinen Wohnung zum Beispiel war so groß, dass ich mich unter ihm frei bewegen konnte, ohne mich zu bücken; ein Stuhl war nur mit Anlauf zu besteigen. Auf diesem Stuhl und auf Zehenspitzen stehend, schaffte ich es gerade, mir einen Lutscher aus dem Küchenschrank zu grabschen. Die Lutscher des vorigen Jahrhunderts waren übrigens auch sehr groß und extrem langlebig. Eine ganze Familie konnte daran einen Tag lang lecken.

Ähnlich groß waren andere Lebensmittel: gelbe Gurken, Tomaten wie Kinderköpfe, und auch die Wurst war sehr dick und wurde in der Regel in Papier eingewickelt unter dem Arm nach Hause getragen. Sie sah von Weitem aus wie eine Teppichrolle.

Die Natur war im vorigen Jahrhundert wilder, die Wälder dichter, ein Baum dicker als der andere. Und auch das Land an sich war viel größer als heute. Man musste tagelang mit dem Zug fahren, um seine Tante, Oma oder Geliebte zu besuchen. Man konnte natürlich auch fliegen, doch die Flugzeuge galten damals als unsicheres Transportmittel, sie flogen nicht bei Nebel, Regen oder Schnee, wenn der Wind zu stark wehte oder wenn der Pilot nicht erschienen war. Die Fluggäste verbrachten Tage auf dem Flughafen, in der Hoffnung auf einen günstigeren Wind. Die Schlauen quartierten sich auf den Bänken im »Mutter-Kind«-Zimmer ein, die Übrigen saßen auf Treppen oder einfach auf dem Boden in der Abflughalle. Sie konnten sich nicht einmal bei der Regierung beschweren, denn die Flüge waren allein vom Wetter abhängig, und das Wetter im vorigen Jahrhundert war fast immer schlecht.

Deswegen entschieden sich die meisten Reisenden für die Bahn. Die Züge des vorigen Jahrhunderts fuhren bei jedem Wetter, zwar nicht immer dorthin, wohin man wollte, aber das nahmen die Menschen gelassen hin, denn Zug fahren war damals eine lustige Angelegenheit. Die Züge waren sehr lang und hatten große geräumige Abteile. Man konnte in einem Abteil zu sechst nebeneinandersitzen. Weil die Zugfahrten so lange dauerten und man den festgelegten Ankunftszeiten misstraute, schleppten die Passagiere säckeweise Proviant mit sich, um nicht unterwegs zu verhungern.

Eigentlich fuhren die Züge immer pünktlich, nur in Ausnahmesituationen konnte es zu Verspätungen kommen. Der Verkehr wurde damals ganz ohne Computer per Hand geregelt. Und wenn sich zum Beispiel zwei Züge, die in entgegengesetzter Richtung fuhren, auf dem gleichen Gleis trafen oder die Schienen verkehrt herum lagen oder der Lokführer unterwegs eine Lokführerin kennengelernt hatte, konnte es zu erheblichen Verspätungen kommen. Dann fingen alle im Zug an zu essen: Hühnerschenkel, Pellkartoffeln, Schweinebraten, gekochte Eier, Buletten ... Der ganze Zug aß, trank und sang lustige Lieder über wahre Liebe und echte Freundschaft, und oft gingen die Lebensmittelvorräte zur Neige, noch bevor der Zielbahnhof erreicht war. Für diesen Fall der Fälle standen an jedem kleinen Zwischenbahnhof alte Frauen mit Eimern voller Kartoffelpüree. Sie verkauften auch Alkohol und selbst gestrickte warme Socken. Die Omas deckten eine wichtige Bedarfslücke, sie retteten die Zuginsassen vor dem vorzeitigen Verhungern und Verdursten und besserten damit ihre Rente auf. Alkohol und Kartoffelpüree gingen in Sekundenschnelle eimerweise weg. Die Socken dagegen wurden kaum gekauft, weil es im Zug auch ohne Socken sehr warm war.

Das Wetter im vorigen Jahrhundert war, wie gesagt, sehr schlecht, deswegen heizte man wie verrückt. Das ganze Land war an ein zentrales Heizungssystem angeschlossen, das bemüht war, überall und rund um die Uhr die optimistische Pauschaltemperatur von achtunddreißig Grad Celsius zu halten. Einmal im Jahr wurde das zentrale Heizungssystem wegen Wartungsarbeiten heruntergefahren, und zwar immer dann, wenn der erste Schnee fiel. Der erste Schnee im vorigen Jahrhundert kam jedes Mal nachts, manchmal am frühen Morgen, aber auf jeden Fall plötzlich und unerwartet wie ein Gerichtsvollzieher. Man stand eines Tages auf, seufzte, schaute aus dem Fenster und erschrak: Alles war weiß.

Bei uns in Moskau wurde der erste Schnee ziemlich schnell von den Autos zu Matsch gefahren. Es blieb aber immer genug übrig, um jeden Abend eine Armee von Schneemännern und Schneefrauen zu bauen. Auf der Insel Sachalin, so erzählte mir meine Frau, blieb der Schnee eigentlich fast das ganze Jahr über liegen, dabei kam im Winter täglich neuer Schnee dazu. Während anderswo der Schnee mit großen Traktoren von der Straße gefegt wurde, mussten die Bewohner von Sachalin im Winter ihre Straßen unter dem Schnee jedes Mal neu verlegen. Sie schaufelten Labyrinthe und bewegten sich hauptsächlich unterhalb der Schneedecke von zu Hause zur Arbeit und zurück. Anstatt mit »Guten Tag!« begrüßten die Fußgänger einander mit Worten wie: »Vorsicht, Wange!«, »Pass auf, Nase!«, »Achtung, Kinn!« Damit wiesen sie auf die weißen Flecken im Gesicht ihres Gegenübers hin, die auf eine lokale Erfrierung schließen ließen. Der Betreffende nahm eine Handvoll Schnee und rieb sich damit so lange das Gesicht, bis der Fleck wieder rot wurde. Erst Mitte Juni begann der Schnee auf Sachalin zu schmelzen und hinterließ riesige Pfützen, die nur mit einer Fähre zu überqueren waren. Deswegen kann meine Frau bis heute keinen Schnee leiden und die Begeisterung mancher Mitteleuropäer für dieses Saisonprodukt überhaupt nicht teilen.

Neulich waren wir in den Schweizer Bergen, dem ersten Urlaubsort der Welt, einem Skiparadies, in dem es nur so vor Schnee knisterte. Auf jeder Straße sah man kleine Schneeberge, in denen man mit etwas Fantasie große Autos, kleine Hütten oder betrunkene Skiläufer erkennen konnte. Unsere Schweizer Gastgeber prahlten mit ihrem Schnee und hörten meiner Frau mit Erstaunen zu, die Schnee als schlecht, gar als Faschismus der Natur beschimpfte. Inzwischen fällt aber selbst im tiefsten Norden viel weniger Schnee.

Im neuen Jahrhundert scheint mir vieles geschrumpft zu sein. Die Lutscher sind sehr handlich geworden und lösen sich auf, noch bevor man sie in den Mund gesteckt hat. Die Würste sind unheimlich dünn geworden, die Zugabteile sehr eng. Das zentrale russische Heizungssystem fällt immer öfter aus, die Bahn wurde gar zum Teil privatisiert, und man kann sich heute gegen entsprechende Bezahlung einen ganzen Waggon mieten, mit Tee und Champagner und einem eingebauten Fernseher, in dem nonstop Pornofilme laufen – von Saratow bis nach Wladiwostok. Die alten Frauen mit ihrem Kartoffelpüree sind von den kleinen Bahnhöfen verschwunden, sie wurden mit dem Zauberstab des Kapitalismus in Hot-Dog-Automaten verwandelt. Nur der erste Schnee fällt noch immer nachts, und manche Pfützen auf Sachalin sind so groß wie früher geblieben.

Boney M.

Die Liebhaber der kapitalistischen Musik hatten es nicht leicht in der Sowjetunion. Diese Musik kam nur selten und unregelmäßig in unser Land, in der Regel in einem Diplomatenkoffer oder durch den KGB. Es mag manchem unglaubwürdig vorkommen, aber auch sowjetische Spione, Diplomaten und Politiker, die beruflich mit dem Ausland zu tun hatten, besaßen Kinder. Wenn sie von der Regierung zu irgendeinem Kongress in den Westen geschickt wurden, bekamen sie von ihren Söhnen und Töchtern eine Einkaufsliste mit auf den Weg. Sie mussten dann zum Beispiel in einen Musikladen gehen, die schrillste, bunteste Platte im Eingangsbereich kaufen und sie möglichst unversehrt mit nach Hause bringen.

Die KGB-Söhne und -Töchter konnten mit dieser Musik angeben, sie überspielten die Platten auch für ihre Freunde, die wiederum andere Freunde hatten – und so kam die kapitalistische Musik unters Volk. Damals war das Internet noch nicht erfunden, im Radio empfing man auf Kurzwelle meist nur das Rauschen des Weltalls, und Kassettenrekorder waren eine Seltenheit. Aber die meisten hatten Tonbandgeräte zu Hause – groß, schwer und robust. Diese Geräte hatten kosmische Namen: »Orbit 106«, »Komet 208« usw.

Das Musiküberspielen glich einem Ritual, einer Raumschiffankopplung, die manchmal mehrere Tage dauerte. Der Musikliebhaber musste seine Tonbandmaschine zu einem anderen Musikliebhaber mit Gerät bringen. Sie verbanden ihre Maschinen mit einem dicken Kabel und ließen die Musik fließen. Bei diesen Geräten konnte man die Geschwindigkeit regulieren und sogar Mono auf vier Spuren aufnehmen, so dass auf ein Tonband bis zu acht Stunden Musik passten, wobei natürlich die Qualität erheblich litt. So entstanden die ersten sowjetischen Mixe. Sie waren sehr lang, hatten einen echten Underground-Sound, die Songs waren oft durcheinandergebracht und die Namen der Interpreten verloren gegangen.

Man wunderte sich, warum dieselbe Band jeweils nach zehn Titeln ihren Stil, die Musik und den Sänger komplett ausgewechselt hatte.

Während der Musikliebhaber im Westen von den Musikproduzenten aus aller Welt systematisch mit dem neuesten Stoff versorgt wurde und dabei eine individuelle Musikauswahl treffen konnte, formte sich unser Musikgeschmack aus dem wilden Umherirren der sowjetischen Spione durch die dunklen Straßen des Auslands. Kam der Agent an einem Gemischtwarenladen vorbei, hörte das ganze Land ein Jahr lang *Roxy Music, Sparks* und *ZZ Top*. Hatte sich der Agent zufällig an einer anderen Ecke herumgetrieben, fuhr die sowjetische Jugend hernach auf *King Crimson* ab. Und wenn er an einem Grufti-Geschäft vorbeikam, ächzte wenig später alles zu *The Cure*.

Offiziell wurde bei uns jegliche Musik aus dem Westen, die einen künstlerischen Anspruch hatte, ignoriert. Der Staat ließ nur einige niedliche Popbands ins Land, die aber trotz ihrer Harmlosigkeit zensiert wurden und selbst dann nur nach Mitternacht im Fernsehen auftauchen durften. Die breite Schicht der Bevölkerung hat diese Schlagerbands trotzdem angehimmelt, vor allem die Gruppe *Boney M*. Sie wurde ebenfalls zensiert. Bei ihrem ersten Konzert in Moskau, 1978, durfte sie zum Beispiel nicht »Rasputin« spielen. Die Eintrittskarten wurden zu unerschwinglichen Preisen auf dem Schwarzmarkt versteigert, die guten Plätze waren für die »besten Leute« reserviert. Schon Monate vor dem Konzert wurden die Straßenhunde und Penner rund um den Veranstaltungsort eliminiert. Worum es in den Songs ging, interessierte niemanden. Auf jeden Hit von *Boney M.* reimten die Russen ihren eigenen Text: »Bahama, Banama Mama, sieben Rubel – hundert Gramm Marihuana«, oder: »Keiner tanzt wie Rasputin, einmal her und einmal hin.«

Boney M. eroberte die Herzen des sowjetischen Publikums für immer und ewig, viele sind noch heute treue Fans der Gruppe, besonders in der Provinz. Dort ist man fest davon überzeugt, *Boney M.* sei eine Weltgröße wie die *Beatles.* Ich habe sie neulich gesehen, weit weg von jeglicher Zivilisation, in der Wüste Mecklenburgs, auf einem Plakat. Dort stand, die weltberühmte *Boney-M.*-Gruppe würde demnächst zur Eröffnung einer neuen Kaufland-Filiale aufspielen.

Liebesbriefe

Kaum hatte meine Tochter alle Buchstaben auswendig gelernt, schrieb sie schon ihren ersten Liebesbrief an einen Freund aus dem Kindergarten: »Lieber Miron, bei uns im Keller gibt es fette Schaben, ich liebe dich, Nicole.« Ich fand den Brief ganz gelungen, ihre Mutter war davon jedoch gar nicht begeistert. Sie erklärte Nicole, dass es eigentlich keine Mädchensache sei, Liebeserklärungen zu schreiben. Die Jungs müssten hierbei die Initiative ergreifen und die Mädchen erst dann antworten, wenn sie einen Pappkarton voller Liebesbriefe zusammenhätten.

Das erinnerte mich an meinen Vater, der sein ganzes Leben lang Liebesbriefe an die Welt schrieb und nie eine Antwort bekam. Er verschickte seine Briefe aber auch nie. Mein Vater war in seinem Herzen ein romantischer Schriftsteller, er war der Kunst des Schreibens verfallen. Bei seiner Tätigkeit als stellvertretender Leiter der Abteilung Planwesen in einem Betrieb der Binnenschifffahrt hatte er jedoch keine Zeit für große Romane, deswegen konzentrierte er sich auf kurze Liebesgedichte mit obszönem Inhalt, die er selbst als »Liebesbriefe an die Welt« bezeichnete.

Mit seinem Privatleben hatten diese Liebeserklärungen nichts zu tun. Im wahren Leben war er erst ein schüchternder Junge, dann ein treuer Ehemann und schließlich ein verantwortungsvoller Familienvater. In seinen Texten aber inszenierte er sich als Herzensbrecher und Frauenschwarm. In der Regel waren seine »Liebesbriefe« an Frauen adressiert, die meinen Vater persönlich nicht kannten, die er aber im Fernsehen gesehen hatte, im Lebensmittelladen in der Schlange oder im Bus auf dem Weg zur Arbeit. Deswegen trugen die meisten seiner Werke romantische Überschriften wie »An die Unbekannte mit der grünen Tüte« oder »An die wunderschöne Unbekannte aus dem Bus 127« oder einfach nur »An eine Unbekannte«. Nie hat er den Versuch unternommen, seine

Werke diesen fremden Frauen zu schicken, stattdessen trug er sie meiner Mutter in der Küche vor:

> Unbekannte mit grüner Tüte,
> Du und ich wir stehen wie ein Chor,
> Lass mich deine Düfte atmen,
> Nimm die Schlüssel von meinem Tor.

In unserer Küche war seine Kunst nicht unumstritten. Meine Mutter übte Kritik, und manchmal, wenn mein Vater ihrer Meinung nach in seinem Lyrikwahn zu weit gegangen war, flippte sie sogar aus:

»Was soll denn das heißen? Was für Schlüssel?«, regte sie sich auf.

»Die Schlüssel, das ist eine Allegorie«, verteidigte sich mein Vater.

»Ach, ja? Wofür denn? Ich möchte gern wissen, wofür diese verfluchten Schlüssel allegorisch stehen!«

»Sie können für alles Mögliche stehen, aber nicht, wofür du sie vielleicht hältst«, erklärte ihr mein Vater das Allegorische.

»Ich rate dir, lass deine Schlüssel lieber stecken, sonst zieht sie dir jemand raus aus deinem Torschloss!«, bemerkte meine Mutter dazu – nicht weniger allegorisch.

Trotz heftiger Kritik gab mein Vater nicht auf.

Diese Gedichte seien letzten Endes seine einzigen Freunde, meinte er melancholisch, die wahren Empfindungen seines Ichs.

Wenn es nach einer Dichterlesung in der Küche Krach gab, wechselte mein Vater von der lyrischen in eine philosophische Phase: »Wer bin ich? Wie soll ich mich einordnen? Es gibt auf der Welt so viele Kriterien zwischen Gott und einer Bakterie. Oft fühle ich mich unterdrückt. Dann möchte ich mir selbst eine runterhauen. Doch manchmal, wenn ich in den Spiegel schaue, mitten im Sommer kurz vor den Ferien, sehe ich dann doch Göttliches in mir – und keine Spur von Bakterien.«

Solche Phasen waren aber nie von Dauer, schon bald knüpfte er sich neue, verheißungsvolle Unbekannte in dieser Welt vor. Eine Reihe von gereimten Liebesbriefen widmete er den berühmtesten Frauen des Landes: Er schrieb an die erste Frau, die den Nordpol eroberte, an die erste Frau, die einen Ministerposten erklommen hatte, und an Valentina Tereschkowa, die erste Kosmonautin, die 1964 einmal um die Erde flog. Dieser Gedichtzyklus hieß »Die Ersten« und war inhaltlich etwas monoton. In jedem Gedicht bot sich mein Vater der Frau als Mitstreiter an: Bei der Ministerin wollte er Sekretär werden, bei der Nordpoleroberin bot er sich sogar als Zugkraft für ihren Hundeschlitten an, natürlich allegorisch. Zusammen mit der Tereschkowa wollte mein Vater in eine Weltraumkapsel ziehen, hatte aber keine Chance. Sie wurde gleich nach ihrem Flug auf Befehl des Staates mit einem anderen Kosmonauten zwangsverheiratet, um herauszubekommen, ob Kosmonauten untereinander Kinder kriegen könnten. Tereschkowa bekam ein Kosmonauten-Kind und ließ sich dann von ihrem Kosmonauten-Ehemann scheiden, doch da war mein Vater schon mit meiner Mutter verheiratet. Also blieb seine Kosmonautinnen-Affäre nur ein Gedicht:

Unvergleichbare Valentina,
Während du im Kosmos bist,
Sende ich dir Signale,
Ich, ein einfacher Ökonomist.
Wenn du auf die Erde schaust
Aus deinem Raumschiff,
Siehst du zwei große Ozeane
Und dazwischen mich.

Seine Liebeserklärungen an die Welt haben ihm letzten Endes nichts außer Ärger in der Küche eingebracht, doch sie waren ihm wichtig, diese Pfeile der gehobenen Romantik in einem nicht besonders ab-

wechslungsreichen Leben. Ich habe diese Leiden-
schaft einmal übernommen, als ich 1986 in der sowjetischen Armee Liebesbriefe für meinen damaligen
Vorgesetzten, Sergeant Krilenko, schreiben musste,
adressiert an seine Geliebte Larissa in Kasachstan.
Damals konnte ich einfach nicht Nein sagen. Ich war
ein junger Soldat aus dem allgemein verhassten Moskau. Krilenko war ein Altgedienter und eine große
Nummer im Stab. Bevor ich zur Armee ging, war ich
Schüler gewesen, Krilenko Bergarbeiter. Er war zwanzig, wirkte aber wie fünfunddreißig und sah den ewig
lächelnden Proletariern auf den Sowjetplakaten ähnlich. Ein Hammer wirkte in seiner Hand wie ein
Streichholz. Aber er hatte Probleme, sich schriftlich
zu äußern, besonders wenn es um komplizierte zwischenmenschliche Beziehungen ging.

»Schreib ihr, dass ich sie liebe und dass ich eine
Bulette aus ihr mache, wenn sie nicht auf mich war-
tet«, diktierte er mir. Ich war dafür vom Küchendienst
befreit. Während die anderen Rekruten Kartoffeln
schälten, saß ich also in der warmen Kaserne und
schrieb Liebesbriefe an eine mir unbekannte Braut.
Am Anfang machte es mir sogar Spaß, ich kam mir
außerdem besonders schlau vor, ein bisschen wie
Cyrano de Bergerac, nur ohne diese hässliche Nase.

»Liebe Larissa«, schrieb ich. »Mein Herz schmerzt.

Noch ein halbes Jahr liegt zwischen uns. Jede Nacht sehe ich Dich in meinen Träumen – Deine Lippen, Deine Nase, Deine Brust. Du kannst Dir nicht vorstellen, was ich aus Dir mache, wenn ich zurückkomme.«

Eigentlich wäre damit die Sache erledigt gewesen. Doch es war mir noch nicht überzeugend genug: Ich wollte aus Krilenko einen Kriegshelden machen.

»Liebe Larissa«, kritzelte ich weiter. »Ich schreibe Dir diesen Brief auf dem Rücken eines gefallenen Kameraden. Unsere Panzer sind in eine feindliche Falle geraten. Er war ein guter Schütze. Ich habe ihm Dein Foto gezeigt, er starb ohne Schmerzen – mit einem Lächeln auf den Lippen. Pass auf Dich auf, Mädchen, ich liebe Dich. Krilenko.«

Weil unsere Einheit keine besonders geheimen Aufgaben zu erledigen hatte, wurde unsere Post nur oberflächlich geprüft. Die wenigen zensierten Briefe kamen für gewöhnlich mit braunem Klebstoff zugeschmiert an den Absender zurück. Insofern war es ein riesengroßer Zufall, dass ausgerechnet mein Liebesbrief an Larissa nicht durchging oder einfach zu mir zurückkam, sondern direkt beim Stab unserer Einheit auf dem Tisch des ranghöchsten Offiziers landete. Der Oberst fand den Brief so lustig, dass er beschloss, ihn der gesamten Einheit öffentlich vorzulesen:

»Unsere Panzer sind in eine Falle geraten. Ich schreibe auf dem Rücken eines gefallenen Kameraden ... Mal unter uns, Sergeant Krilenko. haben Sie jemals in Ihrem Leben einen Panzer aus der Nähe gesehen?« Die ganze Einheit lachte – nur ich nicht. Unsere bescheidene Raketenabwehrstation besaß überhaupt kein Kriegsgerät und auch keine jemals gefallenen Kameraden. Wenn sie stürzten, dann nicht durch feindliche Kugeln, sondern durch maßlosen Alkoholkonsum.

Krilenko versprach, sich in Zukunft persönlich um meine Ausbildung zu einem echten Soldaten zu kümmern, was er auch fleißig die nächsten sechs Monate bis zu seiner Entlassung tat. Nur mit Glück konnte ich dem Tod entrinnen. Seitdem schreibe ich keine Liebesbriefe mehr. Romantik ist ja gut und schön, kann einen aber unter Umständen in Teufels Küche bringen.

Die Karottendiät

Unser Planet ist ein System sich ständig ausgleichender Defizite, nichts geschieht hier einfach so: Wir sind alle auf geheimnisvolle Weise miteinander verbunden. Geht einer von uns schlafen, steht sofort ein anderer auf. Heiratet jemand, lässt sich gleichzeitig jemand scheiden, und wenn irgendwer irgendwo mit dem übermäßigen Trinken aufhört, fängt irgendwo irgendwer damit an. Der ganze Planet leidet an Harmonie. Alles muss ausgewogen und gerecht geteilt werden. Hier Ebbe, dort Flut; hier Pinguine, dort Eisbären; hier Sozialismus, dort Kapitalismus. Jede Störung dieser Harmonie kann unvorhersehbare Folgen haben.

Zur Zeit des Kalten Krieges zum Beispiel waren die Russen in ihrer Mehrheit an den Seiten mollig gerundet, aber versklavt. Die Amerikaner fühlten sich dagegen fit und frei. Doch kaum brach der russische Sozialismus zusammen, kamen die Amerikaner durcheinander. Ihre Gesellschaft teilte sich sofort in drei Teile auf, zwei Teile wurden übergewichtig, ein Teil sitzt im Knast. Die Russen dagegen nahmen rapide ab, kaum waren sie so frei, das zu tun, was im Kapitalismus zu tun ist, nämlich Geld zu verdienen und auszugeben.

Anfangs war der Kapitalismus in Russland großes Kino und sehr erfrischend nach einer siebzigjährigen planwirtschaftlichen Sozialismusroutine. Die Neukapitalisten teilten das Land unter sich auf, die Bevölkerung schaute zu und bekam noch leckere Chips und Limonade zum Naschen dazu. Es war tatsächlich wie in einem Multiplex-Kino, in dem ein lang erwarteter Film lief, von dem man schon viel gehört, den man aber noch nicht gesehen hat. Der Film erwies sich jedoch als ganze Serie. Und man merkte schnell, dass sich die Witze gelegentlich wiederholten, dass dieselben Figuren immer dieselben Phrasen von sich gaben und sich ständig die gleichen Skandale mit dem gleichen Ausgang ereigneten. Selten geschah einmal etwas wirklich Spannendes. Und so begann die Bevölkerung, sich im Kapitalismus zu langweilen.

Das kann doch nicht alles sein, dachten die Menschen und wollten raus aus dem Kino an die frische Luft. Das ging aber nicht mehr. Das Kino war überall und allgegenwärtig. Chips und Limonade wurden zu offiziellen Grundnahrungsmitteln des neuen Zeitalters. Die Harmonie war weg, weil die Welt nach dem Zerfall des sozialistischen Lagers aus der Balance geraten war und immer unübersichtlicher wurde. Gleichzeitig mit der Erfindung von Antidepressiva wurden die Menschen immer öfter depressiv, viele liefen Amok, gingen zur Arbeit und kamen nicht wieder.

Man suchte nach alternativen Lösungen. Der Buddhismus versprach inneres Gleichgewicht rund um die Uhr, mehrere Reinkarnationen inklusive, und gewann Millionen neue Anhänger. Die Menschen legten ihre Arbeit nieder und meditierten stundenlang. Zu Hause hockten sie auf aufblasbaren Bällen, die es in allen Größen und Farben in speziellen Geschäften für Harmonie zu kaufen gab. Bald konnte fast niemand mehr ruhig auf normalen Stühlen sitzen, und die Menschen balancierten, wo es nichts auszubalancieren gab. Lachseminare kamen auf, Tanz- und Bewegungstheater, Marathonläufe, Nordic Walking. Die Gesundheitsmagazine priesen körperliche Betätigung als Lebenselixier, woraufhin sich die Leute Skier, Fahrräder und Surfbretter auf die Autodächer schnallten. Für kurze Zeit riss dann der amerikanische Schriftsteller Carlos Castaneda das ganze Harmonieangebot an sich. Am eigenen Beispiel zeigte er, wie die einmalige Einnahme von Meskalin ein ultimatives Einssein mit dem Kosmos und dem Nachbarn bewirkt, vorausgesetzt der Nachbar hat von demselben Zeug genascht.

Als wäre das alles noch nicht genug, fingen viele Menschen an zu hungern; zuerst in Amerika, aber später waren sie in Europa gezwungen, dasselbe zu tun, denn je länger die Amerikaner hungerten, desto dicker wurde man in Europa. Dieses panische Aushungern, das wie eine Kettenreaktion funktionierte und sich schnell zu einer Massenbewegung auswuchs, nannte man Diät. Mit den Diäten verband der Mensch die Lösung all seiner physischen und psychischen Probleme. Plötzlich lag der Schlüssel zur größten Zufriedenheit im Lebensmittelladen nebenan auf dem Gemüseregal. Die meisten Diäten des vorigen Jahrhunderts waren hart. Die berühmtesten, die sogenannte Weißweindiät (täglich hundert Milliliter Weißwein und ein Stück Hartkäse) oder die Leitungswasserdiät (drei Liter täglich, drei Tage lang) oder die Joghurtdiät (ein linksgedrehter alle zwei Stunden) trieben die Massen reihenweise in den Wahnsinn.

Das Schlimmste, was ich bisher erlebt habe, war die Karotten-Apfel-Diät meiner Tante. Innerhalb kürzester Zeit wurde sie davon gelb im Gesicht und wirkte immer ein wenig angetrunken, weil, wie sich später herausstellte, bei der Verdauung der vielen Karotten und Äpfel im Magen eine Art Alkohol entsteht, der für einen leicht betüdelten Zustand rund um die Uhr sorgt. Ich glaube, unter dem Einfluss dieser Karotten-Apfel-Diät fing meine Tante an, Gedichte zu schreiben und trashige Nachmittagsprogramme im Fernsehen aufzunehmen.

Ein anderer Bekannter von mir, ein Taxifahrer, versuchte, wiederum mittels Karotten, mit dem Rauchen aufzuhören, indem er sich bei jeder Suchtanwandlung eine Karotte in den Mund steckte. In der ersten Zeit zündete er gelegentlich die Karotten noch aus Gewohnheit an, dann aber legte sich sein Verlangen nach Nikotin endgültig. Dafür entwickelte sich bei ihm eine starke Karottenabhängigkeit. Einmal wurde er von einer Polizeistreife angehalten – mit über zwei Promille im Blut, obwohl er nichts getrunken hatte. Auch seine Leberwerte spielten verrückt. Nur mithilfe von Zigaretten gelang es ihm schließlich, wieder von den Karotten loszukommen. Vorher verbrachte er fast ein Jahr in einer Selbsthilfegruppe, die zum größten Teil aus magersüchtigen Mädchen bestand, die ihre Bulimie mit einer Karottendiät kaschiert hatten.

Der Mangel an Harmonie wurde erst behoben, als die Zwillingstürme in New York einstürzten, die Amerikaner daraufhin in den Irak einmarschierten und den Kampf der Kulturen ausriefen. Das hatte wiederum zur Folge, dass die Chinesen zu einer globalen Supermacht anschwollen, den Russen das Lenin-Mausoleum und den Deutschen ihren Teutoburger Wald abkauften und eine Rakete mit zwanzig Kosmonauten zum Mars schickten. Das war jedoch der Beginn einer ganz anderen Geschichte.

Agrionemys horsfieldi und andere sozialistische Schnäppchen

Es war nicht alles schlecht in der Sowjetunion. Wenn heute einer kommen und mir anbieten würde, die fünfundzwanzig Jahre im sozialistischen Moskau gegen fünfzig Jahre am Strand von Hawaii zu tauschen, würde ich ablehnen. Im Sozialismus lernte ich die Utopie als einzig mögliche Wirklichkeit kennen, die sich vor unseren Augen in eine theatralische Farce verwandelte. Anfangs sah sie sehr realistisch aus, sehr lebendig. Doch immer öfter flackerte das Licht, die Oberhäupter vergaßen den Text, die Musik wiederholte sich, plötzlich stürzte das ganze Haus zusammen, und wir standen auf einer Bühne, die von irgend-welchen Verrückten in eine sumpfige Gegend gebaut worden war. Das Zwitschern der Vögel und der Ap-plaus der Massen waren die ganze Zeit nur vom Band gekommen.

Eine solche Erfahrung bleibt lange haften. Es ist gut sechzehn Jahre her, doch meine Sehnsucht nach dem Utopischen hat sich nur vergrößert. Ich suche ständig danach und schreibe fleißig darüber. Und was hätte ich, bitte schön, auf Hawaii schreiben kön-nen? Eine Sonnencreme-Analyse?

Das Warensortiment war im entwickelten Sozia-lismus begrenzt, dafür gab es bei uns viele Schnäpp-chen, viel mehr, als sich ein entwickelter Kapitalis-mus leisten könnte. Die Nachfrage spielte bei unseren Schnäppchen keine Rolle, weil die staatliche Preisbil-dung ideologisch orientiert war. Sie beschenkte die Bevölkerung mit Gütern, die sie nach Meinung des Staates brauchen sollte. In der sozialistischen Plan-wirtschaft wurden alle Waren und Leistungen nicht aus Notwendigkeit, sondern nach Parteibeschluss als Teil eines allgemeinen Entwicklungsplans produziert. Diese Schnäppchen bestimmten das Leben von Mil-lionen. Sehr preiswert waren zum Beispiel Brillen, Saiteninstrumente und Nasentropfen. Außerdem gab es eine Überproduktion an Kämmen, Zahnbürsten,

Antibiotika und Kartoffelpüree. Das hatte zur Folge, dass viele Bürger Probleme mit ihrer Sehkraft hatten sowie Probleme mit den Zähnen, oder sie litten an Haarausfall, weil sie sich ständig kämmten. Dafür konnten die Bürger beinahe vollzählig Gitarre spielen, die meisten eine klassische Version des Instruments mit sechs Saiten, manche spielten auch siebensaitige Gitarre, was eine gewisse Virtuosität im Umgang mit dem großen Finger erforderte, und dann natürlich Balalaika. Auch Sportartikel waren preiswert, etliche wurden sogar umsonst verteilt.

Ein gutes Geschenk zum Geburtstag in der Sowjetunion war ein Schachbrett. In jedem Haushalt gab es mindestens zwei davon, und dementsprechend war jeder zweite Bürger ein Schachmeister. Bei den Lebensmitteln war in der Sowjetunion gefrorener Fisch am billigsten, in unserem »Gastronom« lagen Berge davon. Oft war es ein Fisch ohne Namen, ohne Kopf und ohne Schwanz, ein Unfisch, der schon halb aufgetaut fürchterlich stank. Niemand kam auf die Idee, dieses Produkt zu essen, aber irgendjemand musste diese Berge ja verputzen, sonst wäre die ganze Planwirtschaft in Gefahr geraten. So wurden Katzen zu den beliebtesten Haustieren des Sozialismus.

Natürlich hatte man in der Stadt auch Hunde,

diese sogenannten wahren Freunde der Menschen. Doch die Hundehaltung war teuer und aufwendig. Hunde fraßen keinen Unfisch, für sie war im Sozialismus die Buchweizengrütze vorgesehen. Die Zeitschrift *Freund,* in der es übrigens nur um Hunde ging, pries Buchweizen als die einzig richtige Hundenahrung an. Die Grütze würde jeden Dackel zu einem Pitbull machen, hieß es. Die Hunde waren anderer Meinung. Besonders die großen fielen in der Sowjetunion etwas aus dem Rahmen, sie wirkten oft durchgedreht, jagten Krähen, sprangen in Mülltonnen und bellten angestrengt laut. Außerdem hatten sie große Verdauungsprobleme, saßen stundenlang wie Adler in den Büschen und erschreckten mit ihren roten Augen die Kinder. Angeblich waren das alles Nebenwirkungen der Buchweizengrütze. Der Brei verdarb bei Hunden den Charakter.

Die Katzen in der Sowjetunion waren in ihrer Mehrheit ganz fit und nicht sterilisiert wie ihre dicken Plüschbrüder und -schwestern im kapitalistischen Westen. Der Unfisch machte sie stark und wirkte zusätzlich erregend auf sie. Das ganze Jahr über waren die Katzen in der Sowjetunion mit Liebesspielen beschäftigt. Die Männchen stanken, und die Weibchen krähten wie die Hühner oder jaulten wie Babys die Nächte durch. Jeder Versuch, sie zur Vernunft zu bringen, scheiterte. Schon bei der kleinsten Gewaltandrohung liefen sie weg und kamen nicht wieder. Sie waren die einzig Freien im Sozialismus, so frei, dass man sie eigentlich nicht einmal als Haustiere bezeichnen konnte. Sie lebten nicht mit, sondern neben uns Menschen. Das Einzige, was uns verband, war der gefrorene Unfisch. Ich bin dem Unfisch später in der Armee in gebratener Form auf dem eigenen Teller noch einmal begegnet und muss sagen: Er war besser als sein Ruf.

Aber das real existierende Haustier im Sozialismus war nicht die Katze, sondern die Schildkröte. Aus einem für mich bis heute nicht nachvollziehbaren Grund kostete eine Schildkröte im Sozialismus drei Rubel, weniger also als eine Flasche Wodka oder so viel wie ein Blumenstrauß. Nicht selten bekamen Kinder und sogar Erwachsene zu jedem Geburtstag eine neue Schildkröte geschenkt. Es handelte sich dabei um eine Steppenschildkröte: *Agrionemys horsfieldi*, die vor allem in Nordkasachstan anzutreffen ist. Wahrscheinlich ging es dabei um ein *barter*, ein Tauschgeschäft im Rahmen der sozialistischen Planwirtschaft. Kasachstan bekam Maschinen und Tomaten und lieferte dafür, was die Republik im Überfluss hatte – unter anderem Schildkröten.

Als Haustier war die kasachische Schildkröte optimal. Sie ernährte sich von Pusteblumen, kackte in unsichtbaren Mengen und schlief die meiste Zeit des Jahres. Sie bellte nicht, sie konnte nicht beißen, und sie sah gut aus. Ihre Anspruchslosigkeit und vor allem der niedrige Preis führten zu einer beachtlichen Schildkrötenschwemme. Schildkröten verachtende Experimente waren an der Tagesordnung. Aus Spaß und Neugier legten Kinder ihre Schildkröten unter die Räder von Autos oder warfen sie vom Balkon, um festzustellen, was der Schild der Kröte alles aushalten konnte. Wenn die Kinder draußen spielten, nahmen sie immer ihre Schildkröten mit. Viele von ihnen buddelten sich sofort im Sandkasten ein und tauchten nie wieder auf. Ich kannte ein Kind, dessen Schildkröte sich in einen Berg schmutziger Wäsche eingebuddelt hatte und in der Waschmaschine gekocht wurde. Ein anderes Kind hatte mit dem Werkzeug seines Vaters versucht, die Schildkröte auseinanderzunehmen. Man kann mit einigem Recht sagen, dass die Schildkröten und nicht die Dissidenten die wahren Opfer des sowjetischen Regimes waren, die Sündenböcke des entwickelten Sozialismus.

Das Ende der Sowjetunion bedeutete allerdings auch das Ende der Schnäppchen. Plötzlich gab es keine billigen Haustiere mehr. Die Reichen kauften sich exotischere Tiere, dressierte Piranhas oder Russisch sprechende Papageien. Die Armen hatten Mücken und Holzkäfer. Die *Agrionemys horsfieldi* kehrte in ihr natürliches Territorium, die Steppe Nordkasachstans, zurück.

Meine Briefmarkensammlung

Nach einem Umzug finden sich manchmal längst
verloren geglaubte Dinge wieder ein, die man eigentlich gar nicht vermisst hat. Alte Familienreliquien
kommen ans Licht, deren Wert allein darin besteht,
dass es sie überhaupt noch gibt. So stieß ich beim
Stöbern in einem Umzugskarton, der seit zwei Jahren
unausgepackt im Korridor stand, auf meine alte
Briefmarkensammlung. Die Kinder waren begeistert,
weil sie selbst leidenschaftliche Sammler sind. Meine
Tochter sammelt Bücher, alte Zeitungen, Magazine,
Kataloge, Plakate, Postkarten, eigentlich so ziemlich
alle Papiererzeugnisse, die sie in der Wohnung findet,

um sie dann gleichmäßig in ihrem Zimmer zu vertei-
len, so dass bei einem Besucher sofort der Eindruck
entsteht, es mit einem sehr belesenen Menschen zu
tun zu haben.

Mein Sohn geht noch in die Grundschule, er
hält nicht viel von dicken Büchern. Dafür sammelt er
leidenschaftlich Pokémon-Figuren und Yu-Gi-Oh!-
Karten, die er in großen Einkaufstüten unter seinem
Bett aufbewahrt. Seine Sammlung scheint noch nicht
abgeschlossen zu sein, obwohl sie schon fünf Tüten
füllt. Außerdem hat Sebastian im Herbst eine große
Sammlung herabgefallener Kastanien angelegt. Bei
jedem Spaziergang stopfte er sich die Taschen mit ihnen voll und versteckte sie anschließend in der Wohnung, vor allem in unserem Schlafzimmer, wo wir
noch im Februar unter der Matratze und hinter der
Heizung auf Kastanien stießen. Besonders die Katzen hatten großen Spaß damit.

Meine Briefmarkensammlung wurde von den Kindern mit Respekt aufgenommen, obwohl es mich viel
Mühe kostete, ihnen zu erklären, warum die Marken
so klein, um nicht zu sagen: pissig sind. Im Einzelnen
erkannte man darauf eine englische Königin, einen
Kennedy, einen ägyptischen Pharao mit abgerissener
Ecke und jede Menge sowjetische Schauspieler, Tauben und Kosmonauten. Wie soll man seinen Kindern

begreiflich machen, unter welch schwierigen Umständen diese Sammlung zustande gekommen ist?

Das Sammelalbum wurde mir zum zwölften Geburtstag geschenkt, zusammen mit einem Fünfundzwanzig-Rubel-Schein. Meine Großtante Lida aus Odessa, die Schwester meiner verstorbenen Großmutter, meinte, die Briefmarken würden mich offener und kommunikativer machen, dazu meinen geistigen Horizont erheblich erweitern. Ich hielt nicht viel von dieser Idee. Der Geldschein begeisterte mich mehr. Er war violett, mit einem durchsichtigen Lenin-Kopf als Wasserzeichen. Leider riss ihn sich sofort mein Vater unter den Nagel, mit der Begründung, er würde schon lange genau solche Geldscheine sammeln. Als Gegenleistung kaufte er mir in einem Zeitungskiosk einen Haufen Briefmarken, die den Grundstein meiner zukünftigen Sammlung bilden sollten: kubanische Vögel, chinesische Gymnastikerinnen, äthiopische Friedensaktivisten, sowjetische Schauspieler, Tauben und Kosmonauten – die Briefmarkenauslese des sozialistischen Lagers.

Anschließend kundschaftete ich den geheimen Treffpunkt der Briefmarkensammler in unserem Bezirk aus: Sie trafen sich jeden Sonntag neben der alten Baugrube in der Partisanenstraße hinter dem Filmtheater. Die Erwachsenen bildeten kleine, geschlossene Interessengemeinschaften, die Kinder liefen herum. Es ging dabei nicht nur um Briefmarken. Von Edelmetall bis Kriegsorden, alles war in der Partisanenstraße zu finden, wenn man die richtigen Beziehungen hatte. Das Stammpublikum war jedoch misstrauisch neuen Gesichtern gegenüber. Die Grenze zwischen Sammeln und Spekulieren war fließend, das Tauschen nicht direkt verboten, aber auch nicht wirklich erlaubt.

In der Partisanenstraße erzählte mir ein Rentner, dass es Briefmarken gebe, die Millionen wert seien. Meine sowjetische Sammlung gehörte mit Sicherheit nicht dazu. Deswegen wollte ich sie so schnell wie möglich loswerden, das heißt gegen die normalen antisowjetischen Marken eintauschen. Die kubanischen Vögel tauschte ich gegen eine englische Königin, die Äthiopier gegen Kennedy, die Serie mit der chinesischen Gymnastik gegen einen ägyptischen Pharao. Die sowjetischen Schauspieler, Tauben und Kosmonauten wollte niemand haben. Am nächsten Wochenende tauschte ich Kennedy gegen eine holländische Prinzessin und die englische Königin gegen Kennedy. Die Schauspieler und Kosmonauten wollte nach wie vor niemand. Doch wiederum eine Woche später gelang es mir, die holländische Prinzessin gegen die englische Königin zu tauschen und den Pharao gegen einen anderen Pharao mit abgerissener Ecke. Die Nachfrage nach sowjetischen Kosmonauten, Tauben und Schauspielern blieb unverändert. Die Tauschgeschäfte der darauffolgenden Wochen verliefen ähnlich. Mir fehlte die Ausdauer eines richtigen Sammlers. Ich hatte das Gefühl, meine Sammlung würde mich in eine Sackgasse führen, und hörte mit dem Tauschen auf.

Nebenbei bemerkt blieb mein Vater, anders als ich, seinem Hobby treu. Er ließ sich nicht von irgendwelchen neumodischen Sammlermoden ablenken und sammelte streng orthodox seine Fünfundzwanzig-Rubel-Scheine weiter, zehn Jahre lang. Sie wurden in einer Fotopapier-Schachtel sorgfältig aufbewahrt, bis die sogenannte Geldreform das Land erschütterte und seine Sammlung in einen Altpapierhaufen verwandelte. In seiner Enttäuschung verzichtete mein Vater auf alle weiteren Sammelaktivitäten und konzentrierte sich ganz auf die Dichtung.

Ich dagegen bin trotz meiner relativ kleinen Sammlung kommunikativ und offen geworden, auch mein geistiger Horizont hat sich seitdem erheblich erweitert. Danke, Tante.

Die Frisuren des vorigen Jahrhunderts

Privatleben war früher Mangelware. Soweit ich zu-
rückblicken kann, war ich immer von Kollektiven,
Gruppen und Kreisen umgeben, Individualismus jeglicher Art grenzte an Verbrechen. Unsere Einsamkeit
hatte kosmische Züge – wir waren allein im Universum, aber nie allein zu Hause. Alle schienen miteinander verknetet zu sein, und alle warteten auf irgendetwas.

Am treffendsten beschrieb diesen Zustand Samuel
Beckett in seinem berühmten Theaterstück *Warten
auf Godot*. Sobald jemand auf der Welt anfängt zu
lachen, schrieb er, hört ein anderer woanders auf. Ei-

nige ausgewählte Ausschnitte aus diesem Stück erschienen auf Russisch zum ersten Mal in einem kleinen Sammelband mit dem Titel: *Die Fäulnis der kapitalistischen Kultur im XX. Jahrhundert* – zusammen mit den Werken anderer westlicher Avantgardisten. Wir haben dieses Büchlein verschlungen und sehr dabei gelacht. Es muss, so vermute ich, jemand zur gleichen Zeit sehr geweint haben.

Wie bei Becketts Helden kam unser Leben nicht wirklich voran. Jeder Tag war neu, aber genau wie der vorige, alles drehte sich, das eine Universum um das andere, die Erde drehte sich sowieso, und wir drehten uns mit ihr mit. Diese Kreisförmigkeit des Daseins spiegelte sich sogar in den Frisuren der Menschen. Die Frauen bauten gerne kleine runde Häuschen auf ihrem Kopf, auch als »Läusehäuser« bekannt, oder sie wickelten ihren Zopf um den Kopf herum, das sogenannte »Lenkrad«. Die Männer wussten mit ihren Haaren wenig anzufangen. Die einen schnitten sie vorne kurz und ließen sie hinten lang wachsen, die anderen hatten umgekehrt vorne lange Haare und hinten nichts. Beides sah nicht wirklich gut aus.

Zum Glück bekamen die meisten Männer schon relativ früh eine Glatze und mussten sich nicht mehr den Kopf über ihre Frisur zerbrechen. Laut einem alten russischen Sprichwort galt es, zwei Arten von

Glatzen zu unterscheiden: »Die Glatze vorne kommt von großem Wissen, die hinten von den fremden Kissen«, hieß es. Die erste Variante wurde mit Respekt von der Gesellschaft behandelt, die leichtsinnige Kissenglatze musste dagegen getarnt werden. Entweder rasierte man sie zu einer ultimativen Vollglatze oder kaschierte sie mit einer sogenannten Brücke – einer Handvoll lang gewachsener Haare, die von der Seite her die Glatze überbrückten. Mit einer solchen Brücke auf dem Kopf musste man bei jedem Spaziergang die Windrichtung ziemlich genau einschätzen können. Wenn man sich dem Wind von der falschen Seite stellte, ging die Brücke sofort hoch, und der Brückenträger war blamiert. Die meisten Männer trugen ihre Glatze allerdings mit Würde. Nur manche rückständige Elemente bekämpften ihre Glatzen, in der Regel mit unwissenschaftlichen, volkstümlichen Oma-Rezepten: Sie rieben sich den Kopf zum Beispiel regelmäßig mit Zwiebeln oder sogar Knoblauch ein. Diese Methoden beförderten den Haarwuchs überhaupt nicht, sie sorgten nur für noch größere Kommunikationsprobleme im Kollektiv.

Die Wissenschaft stand jedoch keine Sekunde still. Jedes Jahr wurden Dutzende von Erfindungen bekannt, die das Leben grundsätzlich verändern sollten. Der Erfindungswahn erfasste die ganze Gesellschaft. Ende der Achtzigerjahre kamen die ersten Haarimplantate auf den Markt. Ab sofort konnte man sich Haare auf dem Kopf einpflanzen lassen wie Gladiolen auf dem Balkon, behaupteten die Erfinder. Unser damaliger Nachbar, ein zu früh pensionierter Angehöriger der sowjetischen Armee, der bei uns auf dem Hof den Spitznamen »Fantomas« bekam und sich eine Einzimmerwohnung im Erdgeschoss mit seiner alten Mutter teilte, unterzog sich dieser komplizierten Operation. Er lief danach lange Zeit wie ein arabischer Scheich herum, mit einem um den Kopf gewickelten weißen Tuch. Trotz absoluter Geheimhaltung seitens seiner Familie wusste jeder im Haus über die Operation Bescheid. Alle warteten neugierig, das Nachbarkollektiv war auf die Gladiolen sehr gespannt. Dann endlich erschien Fantomas eines Tages ohne Tuch in der Öffentlichkeit, dafür mit einer Militärmütze auf dem Kopf, die er niemals mehr abnahm. Es musste also bei der Operation doch etwas schiefgelaufen sein.

Die Spekulationen darüber, was nun genau auf Fantomas' Kopf gewachsen war, nahmen kein Ende, bis der ehemalige Offizier für alle unerwartet aus unserem Haus verschwand. Man munkelte, er müsse sich wegen eines Nervenleidens stationär behandeln lassen. Zwei Monate später, im Sommer, wurde Fantomas erneut auf dem Hof gesichtet. Aus dem Klinikum war unser Nachbar als ganz anderer Mensch zurückgekommen. Er hatte deutlich zugenommen und war viel freundlicher und kommunikativer als früher. Nur seine Mütze trug er unverändert weiter, das störte aber niemanden mehr. Bei gutem Wetter saß er am geöffneten Küchenfenster und unterhielt sich mit jedem, der vorbeiging. Auf dem Fensterbrett hatte er eine Flasche Bier und einen Aschenbecher stehen.

Auch wir armen Studenten, die oft kein Geld für eigenes Bier und Zigaretten hatten, blieben vor seinem Küchenfenster stehen. Manchmal, wenn Fantomas etwas getrunken hatte, erzählte er uns, was für interessante Menschen er während seines Aufenthaltes im Krankenhaus kennengelernt hatte. Er erzählte von dem Erfinder eines asymmetrischen Schachspiels, vom Erfinder eines Gummiflugzeugs und von einem, dem die Quadratur des Kreises gelungen war, obwohl oder weil er unter Depressionen litt und ständig versucht war, sich das Leben zu nehmen. Außerdem lernte Fantomas angeblich in der Klapse den berühmten Breschnew-Attentäter kennen, ebenfalls ein früh pensionierter ehemaliger Armeeoffizier mit Glatze, der aus Sibirien nach Moskau gekommen war, um Breschnew umzubringen. Zu diesem Zweck knallte er mit seinem Lada und hoher Geschwindig-keit gegen die Kremlmauer, überlebte jedoch den Zu-sammenprall.

Die Begegnung mit diesen Menschen habe seinen Horizont unglaublich erweitert, behauptete Fanto-mas. Der Erfinder des asymmetrischen Schachspiels würde ihm gelegentlich Briefe schreiben, meinte er. Der Attentäter wurde leider verlegt, und den depres-siven Entdecker der Quadratur des Kreises hätte vor kurzem eine Putzfrau aus Versehen umgebracht. Als er nach einem gescheitertem Versuch, sich die Puls-adern aufzuschneiden auf der Intensivstation lag, hatte die Putzfrau kurzerhand die Stecker für seine lebens-erhaltenden Geräte herausgezogen, um ihren Staub-sauger anzuschließen.

Die Helden des vorigen Jahrhunderts

Die Welt war uns nie gut genug, wir wollten immer eine andere. In der Sowjetunion dachten wir, überall würde es den Menschen besser gehen als bei uns. Unsere junge, enthusiastische Geografielehrerin gab sich mit der bereits vorhandenen Fachliteratur nicht zufrieden, sie wollte uns die weite Welt aus quasi erster Hand nahebringen, wir sollten sie riechen und schmecken. Dazu benutzte sie kapitalistische Kosmetik, trug ausländische schicke Pullover und Jeans und brachte oft Ungewöhnliches zum Unterricht mit.

Während wir die Welt nur innerhalb der Grenzen

des Vaterlandes kennenlernen konnten, hatte unsere Geografielehrerin anscheinend einen geheimen Tunnel ausfindig gemacht, der nach draußen führte. Oft fehlte sie mehrere Wochen in der Schule, während der Direktor sie ungeschickt vertrat. Dann erschien sie wieder und hatte immer etwas Exotisches dabei. Einmal brachte sie sogar eine Kokosnuss mit in die Klasse. Die Nuss hatte lange Haare, war klein und dunkelbraun. Sie wurde von der Mehrheit der Schüler nicht als Nuss anerkannt. Die Lehrerin knackte sie, goss die Milch in ein Glas und verteilte sie tropfenweise aus einer Pipette – sehr sparsam, schließlich sollte jeder etwas davon abbekommen. Die Kokosnussmilch hat uns überhaupt nicht gefallen. Sie schmeckte bitter-süß, hatte etwas Nasentropfiges im Abgang und reduzierte entschieden unsere Begeisterung für die ausländische Lebensmittelkultur, für den Erdkundeunterricht und die weite Welt im Allgemeinen.

Unsere geografischen Kenntnisse blieben also ziemlich schwach, was sich noch einmal rächte, als die Ausreisegesetze in der Sowjetunion liberalisiert wurden. Viele sahen darin ihre Chance, endlich die große weite Welt kennenzulernen. Sie liefen zu der Behörde, die für die Ausstellung von Ausreisegenehmigungen zuständig war. Viele wussten noch nicht, wo genau sie hinwollten. Andere wussten zwar schon, wo sie hin-wollten, aber sie wussten nicht, wo das war. Oder sie konnten den Namen des Ortes nicht richtig schrei-ben.

Um den Menschen zu helfen und ihnen die Qual der Wahl zu erleichtern, hatte man im Erdgeschoss der Behörde neben der Kasse einen großen Globus aufgestellt. Wie in Trance drehten die Menschen die-sen Globus stundenlang hin und her, so herum und andersherum, dabei belästigten sie andauernd die Sachbearbeiter mit dummen Fragen: Ob das wirklich ein kompletter Globus sei oder vielleicht doch nicht ganz auf dem neuesten Stand, und ob sie nicht mög-licherweise irgendwo im Keller für die Freunde des Chefs und seine Verwandten oder gar gegen eine ex-tra Gebühr einen anderen Globus bekommen könn-ten. Die Mitarbeiter lachten darüber und trugen zu-letzt den alten Globus einfach weg, statt einen neuen anzuschaffen. Er war zu diesem Zeitpunkt auch schon ziemlich beschädigt, sprang ständig aus der Achse, die Namen der meisten Metropolen waren nicht mehr lesbar, und da, wo Moskau lag, war ein Loch, weil jeder als Erstes mit dem Finger dort hineingedrückt und gesagt hatte: »Also, wir befinden uns hier.«

Es war eine Zeit des allgemeinen Fliegens, nur der Dumme flog nicht irgendwohin. Die meistgeliebten

Helden waren die Flughelden, es gab sie in jedem Land. Je größer das Land, desto flugsicherer waren seine Helden. In Amerika hießen sie Superman, Batman und Spiderman. Letzterer schleuderte sich mithilfe eines Spinnennetzes durch die Luft, wie es eine Spinne nie tun würde. In den kleinen gemütlichen Ländern waren auch die fliegenden Helden gemütlich und klein. Die Schweden hatten einen Karlsson auf dem Dach – einen kleinen Mann mit einem Propeller auf dem Rücken –, in Deutschland war es die Biene Maja, ein überintelligentes Insekt, das durch seinen Fleiß und seine Ordnungsliebe noch heute als Vorbild für viele Deutsche dient.

In Russland wimmelte es geradezu von Flughelden. Neben solchen Märchenfiguren wie dem fliegenden Pferdchen, dem Feuervogel, Baba Jaga und dem Spuckdrachen gab es real existierende Flughelden zum Anfassen – Alexej Meresjew, der ohne Beine ein Sturmflugzeug lenkte, oder Walerij Pawlowitsch Tschkalow, der als Erster mit seinem Flugzeug den Atlantik überquerte. Der größte Flugheld Russlands war natürlich Juri Gagarin, der erste Mensch im Weltall. Sein Flug war kurz und unspektakulär, er dauerte nur hundertacht Minuten. Während des Fluges sang Gagarin die ganze Zeit fröhlich sowjetische Schlager: »Fliegt, Täubchen, fliegt« und

»Maiglöckchen« und witzelte im Radio, die Erde wäre doch nicht rund, sondern quadratisch und würde auf einer Schildkröte stehen.

Er kam noch am gleichen Tag zurück und wurde prompt zu einer Legende. Nach ihm wurden Straßen, Schulen und ganze Städte benannt, seine Fotos wurden an allen Ecken als Souvenirs verkauft, er blickte einen von überallher an, er war allgegenwärtig. Eine Proktologin erzählte mir, wie sehr sie einmal erschrak, als sie einem mit akuten Enddarmschmerzen eingelieferten Patienten mithilfe eines proktologischen Vergrößerungsglases in den Anus schaute und dort Gagarin in Paradeuniform erblickte. Er lächelte und winkte ihr aus dem Hintern des Patienten zu. Schuld daran war eine kleine grüne Rakete aus Plastik mit einem Gagarin-Dia in der Mitte, die als Souvenir sehr beliebt war; in fast jedem Haushalt stand sie auf einem Regal. Sie war wie geschaffen für Leute, die sich gerne irgendwelche Dinge in den Arsch steckten. Die Rakete hatte unten einen kleinen Ring und wenn der abbrach, konnte nur noch ein Arzt Gagarin retten. Er war wirklich überall.

Mein persönlicher Favorit unter den Flughelden war jedoch Graf Dracula. Dieser Gagarin Rumäniens wurde zwar erst durch die Romane von Bram Stoker weltberühmt, hat aber die Sitten und Traditionen Ru-

mäniens weitgehend geprägt. Anders als die Biene
Maja, Gagarin oder Superman flog Dracula nur
nachts. Er hatte kein Interesse an Honig, Weltraum-
forschung oder an der Rettung der Menschheit. Während die anderen Helden in wichtigem Auftrag um
die Erde flogen, wollte der Graf bloß auf die Schnelle
etwas trinken und essen, was bei ihm auf dasselbe hi-
nauslief. Tagsüber schlief er, nachts zog er sich schick
an und flog aus. Diesen Lebensstil haben die Rumä-
nen beinahe komplett übernommen und gehen bis
heute stets erst nachts essen.

Meine Frau lernte übrigens Anfang der Neunzigerjahre in Berlin einen Nachkommen des Grafen
Dracula kennen – nicht des Zelluloidgrafen aus dem
Film, sondern von dessen realem Vorbild, dem Sou-
verän Vlad Tepesch, der später in der Weltliteratur als
Graf Dracula bekannt wurde. Sein Urenkel hatte einen Doppelnamen und trug lange schwarze Haare,
die den Boden fegten, wenn er sich bückte. Tagsüber
schlief er, nachts zog er durch die Berliner Bars. Der
junge Dracula kämpfte damals schon seit Jahren vor
Gericht, um sein Familienschloss aus den gierigen
Händen der Disneyland AG zu reißen. Er lebte mit
zwei Frauen zusammen und spielte Heavy Metal in
einer ungarischen Band.

Heute sind Flughelden bei weitem nicht mehr so

populär. Wir haben verstanden, dass ein Ortswechsel nicht zwangsläufig Glück bringt. Es gibt nur eine Welt, nur einen Globus, und wo wir auch hingehen, sind wir dazu verdammt, außer unserem Gepäck auch noch uns selbst überall mit hinzuschleppen, mit allen Ängsten, Macken und Gefühlslagen. Da bringt ein Ortswechsel wirklich nicht viel. Besser wird es, wenn man ein wenig über sich selbst hinauswächst. Wenn man aufhört, sich nur für sich selbst zu interessieren und die Augen und Ohren freimacht für das Fremde um uns herum. Das Andere, das tausendmal spannender, geheimnisvoller, abenteuerlicher und unterhaltsamer ist als das Eigene. Man muss lernen, die Kokosnuss zu mögen.

Die rasenden Russen

»Welcher Russe mag das schnelle Fahren nicht?« Die darauf folgende pathetische Abhandlung in dem Roman *Tote Seelen* des russischen Schriftstellers Nikolai Gogol mussten wir als Kinder in der Schule auswendig lernen. Der Schriftsteller verglich darin den Geist Russlands mit einer rasenden Pferdekutsche, die ohne Ziel und Zweck die Schneewüste in Richtung Horizont durchquert.

Wie kam diese anarchistische Sichtweise in unser sowjetisches Schulprogramm? Offiziell galt doch, dass die Große Oktoberrevolution Russland ein klares Ziel vorgegeben hatte: den Aufbau des Sozialismus.

Gogol wollte in seinem Werk angeblich bloß die un-
gerechten Lebensbedingungen unter der Monarchie
geißeln. Der Held des Romans, ein Angeber, zieht
durch die russischen Dörfer und kauft den ahnungs-
losen Gutsbesitzern ihre vor kurzem verstorbenen, aber
noch als lebend geführten Bauern für ein paar Groschen ab, um diese »tote Seelen« bei einer Kreditbank
als Sicherheit zu hinterlegen. Die ganze Sache muss
schnell über die Bühne gehen, bevor die Bank oder
die Behörden Wind davon bekommen, deswegen rast
der Held in seiner Pferdekutsche mit so hoher Geschwindigkeit durch Russland. Wobei der Gogol die
Kutsche mit ganz Russland gleichsetzt.

»O meine Heimat, wohin rast Du? Gib mir eine Antwort!, rufe ich. Doch die Heimat schweigt!«, schrieb
er 1840. Hundertfünfzig Jahre später mussten wir
über diesen Vergleich leise schmunzeln. Denn das
uns bekannte Russland ähnelte am allerwenigsten einer wild dahinrasenden Kutsche. Die Zeit der Pfer-
destärken war lange vorbei und die Zeit der Pkw noch
nicht wirklich gekommen.

Verkehrstechnisch war Russland in den Achtzigerjahren des vorigen Jahrhunderts ein Fußgängerpa-
radies. Selbst in Moskau konnte man an jeder Kreuzung mit geschlossenen Augen bei Rot über die Straße
gehen. Die Chance, überfahren zu werden, war nicht

größer, als ein Auto im Lotto zu gewinnen. Der billigste sowjetische Pkw kostete so viel, wie ein Ingenieur in drei Jahren verdiente. Und die Lebenserwartung im Sozialismus war niedriger als in Afrika. Es gab kaum eine gesetzliche Möglichkeit, so viel Geld innerhalb einer solchen kurzen Lebenszeit zu verdienen, abgesehen von drei Ausnahmen.

Die erste Ausnahme war das »Sportlotto«. Wer von neunundvierzig Zahlen sechs richtig erriet, bekam ein Auto. Die zweite Ausnahme war ein Fünfjahresvertrag zur Eroberung Sibiriens mit Zielsparbuch. Wer diesen Vertrag abschloss, musste fünf Jahre lang auf den Baustellen der längsten Eisenbahnstrecke der Welt ackern, der Baikal-Amur-Magistrale, kurz BAM. Dafür bekam er nach der Beendigung der Frist eine Wohnung oder ein Auto. Drittens konnte ein Autoliebhaber eine Parteikarriere starten. Mit etwas Glück würde er dann irgendwann einen schwarzen Wolga-Dienstwagen mit eigenem Fahrer zugeteilt bekommen. Man konnte notfalls auch eine reiche KGB-Witwe heiraten oder die Tochter eines Mitglieds des Politbüros. Doch diese Wege waren ausgesprochen schwierig und gehörten eher in den Bereich der Theorie.

Die normale sowjetische Praxis sah anders aus: Um im Lotto zu gewinnen, brauchte man jede Menge Glück, beim Bau der Baikal-Amur-Magistrale fror einem schnell die Nase ab, und die reichen KGB-Witwen liefen einem auch nicht jeden Tag über den Weg. Deswegen bildeten die Autofahrer in der Sowjetunion eine eigene Kaste. Es waren geheimnisvolle Leute, die, jeder auf seine Art, einen Pakt mit dem Teufel geschlossen hatten und deswegen zur Strafe dem Neid und der Schadenfreude ihren autolosen Nachbarn ausgesetzt waren. Ihr Leben gestaltete sich wesentlich komplizierter als das der Fußgänger. Im Alltag mussten Autofahrer eine Stunde früher aufstehen als Fußgänger, um ihre Ladas und Moskwitschs für die Fahrt vorzubereiten. Am Wochenende, wenn die ganze zivilisierte Welt zu Hause vor dem Fernseher saß, mit Freunden in der Sauna abhing oder mit anderen zusammen ins Kino ging, lagen die Autofahrer unter ihren Fahrzeugen und schraubten. Die Wochenenden in der Garage zu verbringen, gehörte zu ihrem Lebensstil – mehr als das Fahren selbst. Sowjetischen Automarken teilten sich nämlich anderes als ihre Brüder im Westen nicht in neu und gebraucht oder intakt und kaputt. Sie besaßen die Fähigkeit, alles gleichzeitig zu sein. Neu gekauft waren sie schon gebraucht, nie ganz intakt, aber gleichzeitig gingen sie auch niemals völlig kaputt. Und jeder Fahrer war natürlich sein eigener Automechaniker der Extraklasse.

Heute ist ein Auto zu fahren nicht viel komplizierter als Straßenbahn oder Fahrrad fahren, jedes Kind kann das. Die Autos sind mit Elektronik gespickt, und kaum ein Fahrer weiß mehr, was unter seiner Haube vor sich geht. Früher im Sozialismus war das Fahren eine Herausforderung, eine Prüfung fürs Leben. Jemand, der im Sozialismus ein Auto fahren konnte, wäre auch in der Lage gewesen, ein Flugzeug zu steuern oder ein U-Boot zu lenken.

Es gab nur einen einzigen Vorteil, den der sozialistische Fahrer seinem westlichen Kollegen gegenüber besaß: Es gab im Osten nie ein Parkproblem. In unserem Hochhaus in Moskau wohnten achtzig Familien, und auf dem Hof standen drei Autos – in Garagen. Eines davon, ein rosaroter Moskwitsch, gehörte meinem Freund Andrej, einem für sowjetische Verhältnisse untypisch jungen Autofahrer. Offiziell gehörte der Wagen seinem Großvater, einem Kriegsveteranen, der viele Orden besaß, unter anderem die höchste Auszeichnung der UdSSR: einen Stern, der ihn als Helden der Sowjetunion auswies. Für Veteranen gab es Autos ermäßigt, man musste aber lange Wartezeiten in Kauf nehmen. Andrejs Großvater hatte sich wahrscheinlich bereits 1945, sofort nach Ende des zweiten Weltkrieges, in der Warteschlange für Autos angemeldet. Die Jahrzehnte rasten vorüber, und er hatte seinen Autotraum längst vergessen, als er kurz vor seinem achtzigsten Geburtstag plötzlich einen Anruf bekam: Er solle bitte den ihm zugeteilten Wagen abholen.

»Kommen Sie am Freitag um neun Uhr früh in unsere Filiale Nr. 108, und vergessen Sie die zwölftausend Rubel nicht!«, sagte eine freundliche Frauenstimme am Telefon zu ihm.

Der Anruf kam zu spät, Andrejs Opa war zu alt zum Autofahren, und der Wagen, ein Moskwitsch, für die Familie viel zu teuer. Zwölftausend Rubel waren eine Menge Geld und in vier Tagen nicht zu beschaffen. Der Enkel aber war überwältigt von dem Gedanken, einen Wagen zu besitzen. Eine solche nahezu beispiellose Steigerung der Lebensqualität würde ihm beim Mädchenkennenlernen völlig neue Perspektiven eröffnen. Er diskutierte das Thema gründlich mit seinem Opa aus, bekam von ihm eine Vollmacht und sein Erspartes dazu, plünderte das familieneigene Sparschwein, borgte Geld bei allen, die er kannte, und fand noch einen weitläufigen Verwandten, einen erfolgreichen Parteifunktionär und Cousin seiner Mutter, den er noch nie gesehen hatte, der ihm aber trotzdem die noch fehlenden viertausend Rubel lieh.

Am Freitag gingen Andrej und ich mit zwölftausend Rubel in seiner Sporttasche zum Autogeschäft am Südbahnhof. Der Kauf dauerte einen ganzen Tag. Aus fünfzig unterschiedlichen Pkws wählten wir einen, der fahren konnte: Er war knallgelb, auf der hinteren Haube klebte ein Zettel mit dem Wort »Banane«, was wahrscheinlich die offizielle Bezeichnung für seine Farbe war. Auf jeden Fall nannten wir das Auto ab sofort nur noch »Banane«. Die zwölftausend Rubel gingen über den Verkaufstresen und wurden sorgfältig gezählt. Unsere Abenteuer mit der Banane fingen allerdings gerade erst an.

Wir mussten erst einmal zum TÜV, in die Werkstatt und dann zur Polizei. An diesem Tag erfuhr ich aus erster Hand, was Korruption bedeutet. Man musste dem Verkäufer ein Fünfer geben, um eine Runde Probe zu fahren. Danach ein Fünfer am Tor der TÜV-Stelle, die »eigentlich gerade geschlossen« war. Aber mit dem Fünfer ging das Tor auf, noch ein Fünfer und der Ingenieur, der »eigentlich gerade Mittagspause« hatte, war bereit, sie um eine Stunde zu verschieben. Ein weiterer Fünfer, und ein Meister sagte uns, was an dem nagelneuen und sorgfältig ausgewählten Wagen mit einem Jahr Staatsgarantie sofort ausgetauscht werden müsste und was erst später: Tank, Getriebe, die vordere Radaufhängung – ein Drittel von unserem gelben Moskwitsch wurde gleich am ersten

Tag repariert. Andrej hatte eine Vorahnung gehabt und deswegen gleich einen Stapel Fünf-Rubel-Scheine mitgenommen.

Am Ende des Tages war der Stapel alle, dafür fuhren wir mit der Banane zum Nachtbaden an den Moskwasee. Mit hundertvierzig km/h und offenen Fenstern rasten wir durch die Stadt, ließen die Scheinwerfer aufs Wasser leuchten und stellten das Radio auf volle Lautstärke. Es war ein großer, ein unvergesslicher Abend. Aber schon am nächsten Tag wollte die Banane nicht anspringen, es war irgendetwas kaputtgegangen – am Getriebe. Seitdem habe ich meinen Freund nur noch mit dem Schraubenschlüssel in der Hand gesehen.

Es war also kein Zuckerschlecken, ein Autofahrer im Sozialismus zu sein. Die Autos fielen buchstäblich auseinander, und trotzdem oder gerade deswegen waren die meisten sowjetischen Fahrer Raser. Dabei galten in der Sowjetunion strenge Verkehrsregeln und eine strikte Geschwindigkeitsbegrenzung: sechzig km/h in der Stadt, hundert auf der sogenannten Hochgeschwindigkeitsstraße, der sowjetischen Autobahn. Doch die Gesetze im Sozialismus wurden gemacht, um gebrochen zu werden. Niemand hielt sich an diese Geschwindigkeitsbegrenzungen und jeder, der konnte, nutzte den Vorteil des geringen

Verkehrs schamlos aus. Man fuhr selten, aber wenn, dann schnell.

Trotz dieser streng klingenden Gesetze war die Sowjetunion in ihrem Kern ein Paradies für Raser. Damals gab es noch keine Computer, keine digitalen Verbrecherdateien, die Höchststrafe für alle Verkehrsvergehen belief sich auf zehn Rubel, und selbst die mussten nur gezahlt werden, wenn die Verkehrspolizei die Raser schnappte. Die meisten fuhren keinen eigenen Wagen, sondern einen mit einer Vollmacht, und fast alle »vergaßen«, ihre Kennzeichen hinten anzuschrauben. Die Polizei musste rasen, um die Raser zu kriegen.

Wenn im Kapitalismus die Einhaltung der Verkehrsregeln elektronisch überwacht wird, was eigentlich eine vollautomatisch betriebene Abzocke ist, war es im Sozialismus ein sportliches Wettrennen um zehn Rubel, bei dem nicht auf die Abzeichen geschaut wurde. Der Schnellste gewann.

Das Hauptproblem und die größte Gefahr für die Raser war sowieso nicht die Polizei, sondern die immer fehlenden Ersatzteile. An ihnen ist der Sozialismus letztendlich gescheitert. Aber erst einmal versuchte die Bevölkerung, das Problem selbst in die Hand zu nehmen. Ende der Achtzigerjahre, als im Kreml schon Gorbatschow saß, aber privates Business noch immer verboten war, entstand in Moskau ein regelmäßiger Nachtbasar für Autoersatzteile, ein schwarzer Markt von der Größe eines ganzen Bezirks. Wer ihn organisiert hatte und wie es gelungen war, eine solche kapitalistische Aktivität direkt vor der Nase des Staates dauerhaft zu etablieren, ist bis heute nicht geklärt.

Dieser Markt befand sich auf dem Moskauer Ring, an der Hochgeschwindigkeitsstraße, aber jede Nacht an einem anderen Abschnitt. Der Markt wanderte um Moskau herum. Der Ring hatte damals nur zwei Spuren und einen breiten neutralen Streifen in der Mitte. Links und rechts der Straße sowie in der Mitte standen die Wagen der Verkäufer. Die Wagen der Käufer fuhren im Schneckentempo in beiden Richtungen mit brennenden Scheinwerfern an ihnen vorbei und suchten sich die Teile, die sie brauchten. Die Polizei reagierte gemäßigt: Wenn sie auftauchte, fuhr der ganze Markt zehn Kilometer weiter und machte dort wieder auf. Es wurde nie jemand verhaftet. Jeder Autofahrer in der Stadt wusste Bescheid, wo sich der Markt gerade befand – und das ganz ohne Internet und ohne Mobiltelefone: eine herausragende Leistung.

Mein Freund Andrej kaufte dort für seinen Moskwitsch namens Banane Ersatzteile, die nicht direkt vom Autowerk kamen, sondern von irgendwelchen begabten Tüftler und Bastlern hergestellt worden waren. Die Autoteile dieser selbstständigen Mechaniker hielten länger und waren aus besserem Material. Mancher dieser heimlichen Meister errang einen Ruhm, der weit über die Grenzen Moskaus hinausging: Es gab Leute, die extra aus Moldawien anreisten, um endlich ein richtiges Getriebe für ihren Lada zu finden. So bastelte sich im entwickelten Sozialismus das Volk seine Autos selbst zurecht.

Die Perestroika und die ihr nachfolgende Demokratie westlicher Prägung hat unglaublich viel Schrott aus der ganzen Welt in den Osten gespült. Aus Japan, Amerika und Europa wurde alles, was mehr als zwei Räder hatte, nach Russland zum Verkauf abgeschoben. Und die tollen sowjetischen Autofahrer, die angeblich so viel Ahnung hatten und sich unter jeder Haube bestens auskannten, wurden ohne Ende übers Ohr gehauen. Sie kauften den letzten Schrott, wenn darauf »Opel«, »Ford« oder »BMW« stand. Nach siebzig Jahren Fußgängerleben ging es dem postsowjetischen Mensch lange Zeit nicht in den Kopf, dass man anderswo für die Verschrottung seines Autos mehr als für seine Anschaffung zahlen musste.

Der Zoll kostete anfangs nichts, und so wurde der Verkehr auf den Straßen zunehmend dichter – dank alter Autos aus dem Westen, die noch schneller als die einheimischen kaputtgingen. Die ausländischen Autos fühlten sich in Russland unwohl. Besonders bei den »Japanerinnen«, wie sie liebevoll vom Volk genannt wurden, gingen schon bei minus fünfzehn Grad reihenweise die Alarmanlagen los. Das Autogeheul stieg in den Himmel. »Auch die Autos haben Heimweh«, witzelten die Leute. In den darauffolgenden fünfzehn kapitalistischen Jahren entstand dessen ungeachtet ein riesiges Parkplatzproblem in Moskau. Denn nichts kaufen die Russen lieber als schnelle Autos, obwohl sie keinen Platz mehr zum Rasen haben. Ironie des Schicksals: Früher fehlte dem Raser das richtige Auto, heute die freie Straße. Die ganze Stadt ist zu einem einzigen Raserstau geworden.

Der Moskauer Bürgermeister bemüht sich ständig, diese Situation zu verbessern. Er lässt neue Hochgeschwindigkeitsstraßen bauen und neue Ringe um Moskau anlegen, wofür er sich bereits vor Jahren den hübschen Spitznamen »Herr der Ringe« eingehandelt hat. Doch seine Mühe hat bis jetzt nicht viel gebracht. Seine neueste Vision geht dahin, eine Magistrale über die Dächer der Moskauer Hochhäuser zu bauen für eine Art dreidimensionalen Verkehr wie in dem berühmten Fantasy-Film *Das fünfte Element*. Bis es so weit ist, muss der Russe, »der das schnelle Fahren liebt«, im Stau stehen. Aber auch dort ist er als Raser nicht zu übersehen. Er dreht sein Autoradio ständig rauf und runter, blitzt chaotisch mit Vorder- und Rücklichtern, drückt bei jedem Anlass und auch ohne auf die Hupe – und er schnallt sich niemals an. Keine Chance haben hier staufreundliche Erfindungen wie die im Staumekka Bangkok: Autominiklos, in die man hinterm Steuer wartend pinkeln kann – mit einem Adapter für weibliche Fahrer –, und ein Stau-Radiosender, dem man per Handy seine Staugedichte schicken kann, die dann auch sofort gesendet werden. Der Russe rast lieber im Stand – und rastet dabei aus.

134 135 136 137 138 139

Schlafen im vorigen Jahrhundert

Aus der Sicht der Wissenschaft ist Zeit eine Abstraktion. Jeder kann die Zeit seines Lebens manipulieren und nach Belieben beschleunigen oder bremsen. Das einfachste Mittel für diese Steuerung ist der Schlaf. Die Zeit vergeht schneller, wenn man pennt. Deswegen haben Tiere, die Winterschlaf halten, Bären oder Igel, weniger Stress und leben länger als Wölfe und Hasen, die sich den Winter nicht ersparen. Im harten Überlebenskampf gehen sie an ihre Grenzen und müssen täglich um ihr Leben fürchten, während die Igel und Bären süß vor sich hin träumen. Wenn sie aufwachen, ist es wieder Frühling. Auch in der Wüste und in der Meerestiefe gibt es viele Lebewesen, die in einer Stresssituation auf der Stelle einschlafen – wenn sie zum Beispiel auf einen stärkeren Gegner treffen oder zu wenig Nahrung vorfinden.

Ich kenne etliche solcher Lebewesen in Berlin. Ein Kollege schläft immer unbewusst ein, wenn seine Exfrau die Kneipe betritt. Mehrere Male war ich Zeuge, wie Menschen, die vergessen hatten, eine Fahrkarte zu kaufen, und später vergaßen, dass sie es vergessen hatten, in Winterschlaf fielen, sobald sich ihnen ein Kontrolleur näherte. Ein Klassenkamerad meines Sohnes, der unter Kopfschmerzen leidet, hat die Fähigkeit, sogar während des Unterrichts, innerhalb von Sekunden einzuschlafen, wenn seine Migräne einsetzt – eine natürliche Schutzreaktion des Körpers, um die Schmerzen auszublenden. Mein Sohn schläft manchmal ebenfalls in der Schule ein, bei Rechenaufgaben zum Beispiel – auch eine natürliche Schutzreaktion des Körpers, in diesem Fall gegen Mathematik.

Ich wurde als Kind ebenfalls leicht schläfrig. Im Kindergarten schlief ich ein, wenn ich merkte, dass jemand mit meinem Plastikpanzer spielen wollte. Später, in der Schule, entwickelte sich der Schlaf zu einer Art Dissidententum, einem stillen Protest gegen die vorherrschende Ordnung. Wir schliefen also regelmäßig bei den unentbehrlichen Politinformationen wie »Staatskunde« und »Bürgerliche Verteidigung«. Und unsere Eltern lernten, mit offenen Augen und einem lebendigen Gesichtsausdruck auf Parteiversammlungen oder im Büro zu schlafen. Die Regierung machte damals gleichfalls keinen besonders wachen Eindruck. Der damalige Generalsekretär stand während seiner eigenen Auftritte stets kurz davor einzunicken.

Weil man tagsüber oft und gerne pennte, hatten viele abends Schwierigkeiten beim Einschlafen. Schlaftabletten waren sehr verbreitet, am besten aber trank man sich mit einer guten Flasche Wein in den Schlaf, oder man las ein dickes Buch. Als Kind schloss ich im Bett die Augen und zählte Lämmchen, die über einen Zaun sprangen. Immer nach hundert musste man sich kräftig am Ohrläppchen ziehen. Diese unkonventionelle Methode hatte mir meine Mutter beigebracht, die ihr Leben lang Lämmchen zählte und sich an den Läppchen zog, so wie sie es von ihrer Mutter gelernt hatte und diese wieder von ihrer und so weiter und so fort.

Die vererbte Lebenserfahrung ließ mich vermuten, dass unsere Vorfahren wahrscheinlich als Schafhirten gearbeitet und ihre Herde irgendwann im Laufe des Mittelalters verschlafen hatten. Aus den entsprungenen Lämmchen entwickelten sich zwei Albträume bei meinen Vorfahren, die mich durch meine ganze Kindheit verfolgten. In dem einen Albtraum war ich ein stark behaartes Eichhörnchen, das nach einem Baum zum Wohnen suchte, es waren jedoch alle von Lämmchen besetzt, die dort eigentlich gar nichts zu suchen hatten. Im anderen Albtraum war ich mit Flügeln ausgestattet, die mir, gemessen an meinem Körpergewicht, deutlich zu klein waren. Ich flog auf der Suche nach einer Blume umher und musste die ganze Zeit unglaublich heftig mit den Flügeln schlagen, nur um mich in der Luft halten zu können. An ein Vorwärtskommen war gar nicht zu denken. Und alle Blumen, die ich erreichen konnte, waren entweder von Insekten besetzt oder rochen so widerlich, dass ich Kopfschmerzen bekam. Ich wachte aus diesen Träumen immer mit einem Muskelkater auf.

Fast alle Kinder in meiner Jugend hatten Albträume und die Erwachsenen auch. Die Traumdeutung war daher eine eigene Industrie, eine Wissenschaft mit eigenen Adepten, Königen und Narren. Die Grundregeln der Traumdeutung beherrschte allerdings jeder Bürger. Er wusste, dass Kakerlaken Umzug bedeuteten, dass Spinnen wichtige Nachrichten signalisierten, Schweine oder Kühe dagegen positive Veränderungen im Privatleben; Meerjungfrauen und ausgefallene Zähne standen für einen nahen Tod.

Eine Schlange deutete auf eine Falle hin, ein Fisch auf unerwartete Schwangerschaft, das Pferd stand für irgendeinen Betrug.

Der Staat wusste von der Schlafanfälligkeit seiner Bürger und versuchte, mithilfe ausgefallener Arbeitszeiten ihre Gewohnheiten zu kontrollieren. Die Kinder gingen in zwei Schichten zur Schule: Um acht Uhr fand die sogenannte Nachtigallenschicht statt und um vierzehn Uhr die Eulenschicht. Die Erwachsenen arbeiteten zumeist in drei Schichten abwechselnd, einmal früh, einmal spät und einmal nachts. Manche Berufe, die eine erhöhte Wachsamkeit erforderten oder/und gesundheitsschädigend waren wie zum Beispiel Polizist, Feuerwehrmann, Arzt, Kosmonaut, Löwenbändiger und so weiter wurden in einer noch komplizierteren Zeiteinteilung ausgeübt: sechsunddreißig durch sechs, zwölf nach vierundzwanzig oder zwei nach acht. Der Ehemann meiner Cousine, der bei einem Rettungsnotdienst in Moskau tätig ist, arbeitet noch heute nach einem solchen Plan: sechsunddreißig nach zweiundsiebzig. Das bedeutet, dass er zwei Tage lang Menschen rettet, und dann drei Tage im Bett liegt und fernsieht.

Ich hatte in der Armee als Funker bei der Raketenabwehr den Schichtdienst zwölf über zwölf. Das hieß zwölf Stunden im Bunker, zwölf im Bett. Ein damals weit verbreitetes Sprichwort lautete: »Der Soldat schläft, sein Dienst läuft.« Es waren bloß siebenhundertdreißig Tage, die wir abzuleisten hatten und die vergingen in der Armee schnell, besonders wenn man vierundzwanzig Stunden am Tag pennte. Wachposten mussten ihren Dienst im Stehen schieben, woraufhin sie lernten auch im Stehen zu schlafen, angelehnt an ihre Gewehre mit aufgepflanztem Bajonett. Dabei liefen sie jedoch Gefahr, sich beim Einschlafen selbst aufzuspießen.

Am besten hatten es die Soldaten vom Geheimtelegraf. Sie hatten einen Geheimraum, der nur vom Verteidigungsminister persönlich betreten werden durfte. Doch der Verteidigungsminister schlief anderswo, und unsere Telegrafisten verließen ihren Geheimraum nur zum Essen. Die Funker konnten im Sitzen schlafen, mit dem Kopf auf dem Tisch. Man musste allerdings etwas auf die Tischplatte legen, damit man im Falle einer plötzlichen Kontrolle kein geschwollenes Gesicht hatte. Der Kopf des Funkers wurde daher immer besonders sorgfältig geprüft. Ein Kollege von mir hatte einmal aus Versehen seine Militärmütze als Unterlage zum Schlafen benutzt und prompt bei seiner Ablösung einen Stern auf der Stirn, umkränzt von zwei Kanonen und der Kokarde der Raketenabwehr. Nach diesem Vorfall wurden wir von unserem Vorgesetzen Major Sadikow noch strenger kontrolliert.

Ich selbst lernte beim »Geradesitzen« zu schlafen, indem ich mich mit meinem Gürtel am Stuhl festband und Lämmchen zählte. Alle Lämmchen waren kurz geschoren, sie trugen Stiefel und Schnurrbärte. Und jedes zehnte hatte die Abzeichen eines Majors der sowjetischen Raketenabwehr.

Menschen des vorigen Jahrhunderts

Das Schönste und Spannendste an jedem Gesell-
schaftssystem ist, dass es früher oder später zusammen-
bricht. So habe ich es in Russland erlebt. Alles, was
gestern noch unantastbar und für die Ewigkeit zu sein
schien, fängt plötzlich an zu wackeln. Politiker widersprechen sich selbst, dann kommt eines Tages *Schwanensee* statt der *Abendschau* im Fernsehen, und das
ganze Land steht Kopf. Millionen werden aus der Bahn
geworfen, alles, was man früher für einen sicheren Er-
folgsweg hielt – Bildung, guter Arbeitsplatz, die Zuge-
hörigkeit zur »richtigen« Partei –, zählt nicht mehr. Die
Uhren des Erfolgs werden wieder auf null gestellt.

Solche Zeiten polarisieren die Bevölkerung. Die einen sehen darin die Apokalypse, die anderen einen euphorischen Neuanfang. Eine solche Phase hält aber in der Regel nicht lange, selig sind die, die es erleben durften. Selbst wenn sie am Ende nicht zu den Gewinnern zählen, werden sie doch zumindest für den Rest ihres Lebens viel zu erzählen haben. Im alten Europa, das sein Pulver weitgehend verschossen hat und sich gegen jede Aufregung wehrt, sind solche Turbulenzen kaum zu erwarten. Das Kreativste, was man sich hier zuletzt an Umbrüchen leistete, war vielleicht die New Economy mit abschließendem Börsencrash. Die Jungs und Mädchen, die damals sehr schnell reich wurden, ernteten jedoch nur Empörung. In einer Gesellschaft, in der Reichtümer über Jahrhunderte durch mühsames Handeln und Planen generationsübergreifend angehäuft wurden, wo protzen so verpönt ist, dass die Damen sogar ihre Pelzmäntel mit dem Fell nach innen tragen, hatte diese New-Economy-Klasse keine Überlebenschancen. Die Schlauesten unter ihnen haben sich schnell angepasst und sind ganz selbstverständlich wieder auf die gediegenere Old Economy umgestiegen.

In Westeuropa werden die Reichen nach der Regel sozialisiert und erzogen, dass Eigentum verpflichtet und mehr Geld mehr Verantwortung bedeutet. Vor allem aber gehen sie mit ihren Schätzen sehr vorsichtig um. Sie verstecken sie am liebsten.

Anders in Russland. Meine Landsleute pokern gerne mit allem, was sie haben. Die Spielregeln werden öfter gebrochen, die Karten häufiger neu gemischt, manchmal wird sogar am Pokertisch ein bisschen geschossen. Der letzte gesellschaftliche Umbruch, der in Russland unter dem Namen »Perestroika« stattfand und Deutschland als sogenannte »Wendezeit« erreichte, spülte viele frischgebackene Global Player an die Oberfläche. Sie wurden von ihren westlichen »Kollegen« mit Misstrauen und Kopfschütteln aufgenommen. Diese komischen russischen Oligarchen sind für die Europäer schwer zu begreifen. Chodorkowski, der im Gefängnis sitzt, halten sie für einen politischen Gefangenen, Beresowski für einen Dissidenten. Am meisten Schlagzeilen machte der junge, sportliche Abramowitsch, der auf allen Fotos so dumm aus der Wäsche guckt, als wüsste er selbst nicht, in welcher Branche er eigentlich tätig ist.

Die russischen Oligarchen handeln oft völlig unwirtschaftlich: Statt ihr Geld zu vermehren oder langfristigen Investitionen nachzujagen, verschwenden sie ihr Kapital für Spielzeug. Der eine kauft Fußballmannschaften in fremden Ländern, der andere kauft auf der ganzen Welt Fabergé-Eier, egal, ob Fälschungen oder Originale, er saugt alle ein. Wieder ein anderer, der LUKOIL-Chef Alekperow, ließ sich für zig Millionen Dollar ein Mausoleum in Form des Tadsch Mahal errichten, seine Grabbüste darin soll angeblich zwanzigtausend Jahre überdauern können.

Während über die Oligarchen des Westens in der Regel nur im Falle einer Firmenübernahme oder eines missglückten Deals berichtet wird, liefern ihre russischen Kollegen permanent skurrile Schlagzeilen: »Abramowitsch besucht Hongkong, um einen möglichen Anlegepunkt für seine Jacht auszukundschaften«, stand neulich als Überschrift in einer russischen Zeitung. Keiner dieser Männer kommt aus einer reichen Familie, niemand von ihnen hat eine Business-Ausbildung abgeschlossen. Die meisten sehen aus, als hätten sie mit der Pfanne eins übergebraten bekommen. Was ist nur mit ihnen passiert? Nichts Besonderes. Sie sind einfach in den Umbruchszeiten über einen Geldkoffer gestolpert.

Damals, in den späten Achtzigerjahren, gab es keine fertigen Rezepte, wie man reibungslos vom Sozialismus zu einer kapitalistischen Wirtschaftsordnung kommen könnte. Es war völliges Neuland. Durch die vielen Geldreformen und die Privatisierung des staatlichen Eigentums wurde das ganze Land zur Umverteilung freigegeben. Und nicht alle sind dadurch ärmer geworden. In meiner Generation hatte bestimmt jeder mindestens einen Schulkameraden, der in den Neunzigerjahren Millionär wurde. In unserer Schulklasse war das ein unauffälliger Junge, der in den humanistischen Fächern mittelmäßig abschnitt, dafür aber gut in Mathematik war. Seine Eltern waren Ingenieure, seine Oma wohnte ein Stockwerk über uns. Zu ihr ging er jeden Tag nach dem Unterricht zum Mittagessen. In der Klasse wurde er oft gehänselt, ein kleiner Blonder mit Brille und dem Spitznamen »Student«.

Als einer der Ersten fing der Student an, 1991 nach China zu fliegen und Computer von dort nach Moskau zu schaffen. Während die meisten seiner Zeitgenossen wie betäubt vor der Glotze saßen und die »spannenden politischen Auseinandersetzungen« am Bildschirm verfolgten, beschäftigte der Student schon zwei Dutzend Angestellte, unter anderem seine Eltern, die beide arbeitslos geworden waren. Er musste nicht mehr selbst nach China fliegen. Die Pioniere der neuen russischen Marktwirtschaft handelten auf eigene Faust, sozusagen ohne Gewähr. Keiner von ihnen besaß anfangs ein Konto bei einer Bank, sie mussten ihre Gewinne daher in großen Koffern mit sich herumtragen und die Umsätze in der Badewanne bunkern. Später, als der Student sein Geld doch in eine Bank bringen wollte, hatte er Transportprobleme. Eine lange Freitreppe führte in diese Bank, ungefähr fünfzig Stufen. Der Student parkte vor dem Eingang und lief mit zwei Geldkoffern die Treppe hinauf. Zweimal wurde er dabei um alles erleichtert, was er besaß. Die Sicherheitskräfte der Bank, die hinter der Glastür standen, beobachteten diese Raubüberfälle von oben, rührten aber keinen Finger. Die Treppe gehörte nicht zum Sicherheitsbereich des Geldinstituts. Erst wenn es jemand heil durch die Tür geschafft hatte, wurde er als Geschäftspartner betrachtet.

Meinen Schulkameraden haben diese Verluste nicht abgeschreckt, leichten Herzens fing er jedes Mal wieder von vorne an. An Möglichkeiten Geld zu verdienen mangelte es nicht. Damals standen in Russland quasi an jeder Ecke herrenlose Koffer voller Scheine herum, die nur darauf warteten, dass einer über sie stolperte. Nachdem die Computer keine großen Gewinne mehr abwarfen, wandte sich der Student dem Reisemarkt zu. Er eröffnete mehrere Reisebüros und schickte seine Landsleute für wenig Geld nach Ägypten und Tunesien. Die richtig Wohlhabenden ließ er nach Frankreich fliegen, wo er an der Cote d'Azur mehrere kleine Pensionen pachtete, die er mit russischen Köchen und Satelliten-Antennen ausstattete, damit seine Gäste auch am Mittelmeer die heimischen Seifenopern im Fernsehen weiterverfolgen und sich auch sonst in Frankreich wie zu Hause fühlen konnten.

In der älteren Generation entwickelten sich ebenfalls erstaunlich viele zu großen Geschäftsmännern. Einen, Alexander Iwanowitsch, habe ich vor zehn Jahren selbst kennengelernt, als ich mit meiner Frau zusammenzog. Die Ehe wird oft unterschätzt. Der Glückliche denkt dabei nur an die schöne Frau, die Ja zu ihm gesagt hat; er ahnt nicht, dass er mit der Eheschließung zwangsläufig auch ein Stück fremde Vergangenheit erbt: all die Freunde, Verwandten und Bekannten, ehemaligen Liebhaber, Halbonkel und Cousins seiner Frau nämlich.

Alexander Iwanowitsch besuchte uns eines Tages ohne Vorankündigung. Er kam aus Bad Vilbel bei Frankfurt am Main, wo er die Filiale eines russischen Allzweckkonzerns mit dem lustigen Namen »Russian Metal Export Royal« leitete, der unter anderem Stahl und Buntmetall an deutsche Abnehmer verkaufte. Alexander Iwanowitsch hatte keinerlei Gepäck dabei, nicht einmal eine Zahnbürste, nur einen nagelneuen BMW, drei Anzüge, die hinten in seinem Wagen hingen, eine russische Wirtschaftszeitung, eine Stange Marlboro-Zigaretten und eine Penny-Markt-

Plastiktüte mit hunderttausend Mark in Fünfziger-Scheinen.

Mir wurde Alexander Iwanowitsch von meiner Frau als ein Freund aus der Vergangenheit vorgestellt. In ihrem früheren Leben hatte meine Frau ein *katran* in Sankt Petersburg, damals noch Leningrad, unterhalten: ein untergründiges Spielkasino. Offiziell waren Glücksspiele im Sozialismus verboten, außer einer staatlichen Lotterie, die einmal in der Woche stattfand. Dort konnte man mit sechs Richtigen den Hauptpreis, ein sowjetisches Auto der Marke Lada, ergattern. Im *katran* gingen jeden Abend ein Dutzend solcher Autos über den Tisch. Das Kasino befand sich in einer Sackgasse im Zentrum der Stadt, in einer speziell dafür angemieteten und umgebauten Vierzimmerwohnung im Erdgeschoss. In den verdunkelten Räumen mit schweren Gardinen vor den Fenstern und sperrigen alten Möbeln saßen Nacht für Nacht etwa zwei Dutzend Männer und spielten Karten, vor allem Poker. In der Küche gab es mit Käse belegte Brötchen, Mineralwasser und Schnaps – gratis.

Trotz hoher Sicherheitsmaßnahmen, Einlassparolen, die sich jede Woche änderten, und einem Aufpasser, der am Küchenfenster Schmiere stand, flog das Kasino immer mal wieder auf. Polizisten stürmten die Räume und durchsuchten alles. Doch das Glücksspiel war schwer nachweisbar, alle Absprachen fanden mündlich statt, alle Auszahlungen erfolgten grundsätzlich außerhalb des Kasinos. Deswegen blieben die meisten Spieler ruhig auf ihren Stühlen sitzen, wenn die Miliz anrückte – spätestens nach zwei Stunden ließ man sie mangels Beweisen wieder laufen. Nur einige wenige, die sich aus anderen Gründen eine Begegnung mit den Ordnungskräften nicht leisten konnten, sprangen aus dem Fenster in den Hinterhof und liefen davon. Schon damals gehörte Alexander Iwanowitsch zu der Sorte von Spielern, die aus dem Fenster sprangen.

In den frühen Achtzigerjahren gab es bereits jede Menge reiche Leute in den russischen Großstädten, und jedes Jahr wurden es mehr. Die ersten erfolgreichen Geschäftsmänner, die halb im Untergrund und halb offiziell agierten, in einem unmöglichen Spagat zwischen den korrupten Machtinhabern und dem gesetzlosen wirtschaftlichen Umfeld, trugen ihr Geld meistens in zwei Sporttaschen mit sich herum: eine für Einnahmen und eine für Ausgaben. Sie kauften Goldschmuck auf Kilogrammbasis und versuchten auch sonst, das Geld auf jede erdenkliche Weise loszuwerden. Der Pokertisch im *katran* meiner Frau war dafür genau der richtige Ort. Das Hauptproblem des

Kasinos war, dass dort jeden Tag die gleichen Leute am Tisch saßen. Sie hatten alle schon tausendmal miteinander gespielt, kannten alle Tricks des Gegners und schuldeten einander Millionen. Nur bei einem frischen, unverbrauchten Hobbyspieler konnten sie ihre Qualitäten noch entfalten.

Einer von diesen Hobbyspielern war Alexander Iwanowitsch, ein Frauenschwarm, geselliger Mensch und begnadeter Geschäftsmann, der alles zu Geld machen konnte und dafür in der russischen Businesswelt geschätzt wurde. Er hatte nur ein Problem. Der liebe Gott hatte ihn zum Ausgleich für seine Nehmerqualitäten mit Spielsucht geschlagen. Seinen Reichtum verlor er regelmäßig wieder am Pokertisch. Manchmal ließ er dort auch den Reichtum seiner Freunde und Geschäftspartner, die seine Spielsucht daher nicht sonderlich schätzten. Mehrmals versuchten sie, Alexander Iwanowitsch das Licht auszuknipsen. Später aber akzeptierten sie sein Hobby, weil er seine Schulden immer wieder zurückzahlte. Nach jeder Niederlage im Kasino bekam er einen neuen Energieschub, kam auf die unglaublichsten Geschäftsideen, stand wie ein Phönix aus der Asche wieder auf, verdiente dabei Millionen und zahlte seinen Gläubigern zumindest teilweise ihr Geld zurück. Den Rest verspielte er aufs Neue.

In den Neunzigerjahren, als der Sozialismus endgültig auseinanderbrach, ging Alexander Iwanowitsch ins Ausland. Er verkaufte russisches Metall nach Deutschland, türkische Mehlmühlen in die Ukraine, verschob Hunderte von Gebrauchtwagen aus Frankreich nach Polen und verkaufte Tausende alte Spielautomaten aus Las Vegas, die dort ihre Zulassung wegen zu niedriger Gewinnchancen verloren hatten, nach Sankt Petersburg. Damit wurden dort mehrere Kasinos ausgestattet, in denen Alexander Iwanowitsch dann seinen Gewinn wieder verspielte. Seine Geschäftskollegen wurden in den Neunzigerjahren zu Neureichen. Sie kauften sich große Häuser auf Zypern, bauten sich Villen in Nizza, hatten Bodyguards und fuhren mit einer Eskorte durch die Stadt. Alexander Iwanowitsch blieb bei seinen drei Anzügen und dem BMW.

Als er Mitte der Neunzigerjahre bei uns aufkreuzte, war er auf der Flucht. Nach einem Metall-Deal in Bad Vilbel hätte er die russischen Lieferanten auszahlen sollen, stattdessen hatte er ein Frankfurter Kasino besucht. Die hunderttausend Mark in seiner Plastiktüte waren danach alles, was von dem Deal übrig geblieben war. Nun wollte er bei uns in Berlin für ein paar Tage untertauchen. Ich hielt das für keine gute Idee, konnte aber unter den gegebenen Umständen nicht Nein sagen. Alexander Iwanowitsch hatte außerdem bereits einen schlichten Plan, wie er in kürzester Zeit die verspielte Summe wiederbeschaffen konnte. Und wir sollten ihm dabei helfen.

Abends gingen wir alle drei ins Kasino. Mich stellte Alexander Iwanowitsch an einen Roulettetisch. Er gab mir zehntausend Mark mit der Anweisung, bei jeder Runde allein auf die Dreiundzwanzig zu setzen. Meine Frau musste am Nebentisch dasselbe tun. Zwei Stunden lang setzte ich wie ein Blöder auf die Dreiundzwanzig. Die Zahl gewann kein einziges Mal. An den anderen Tischen lief es nicht viel besser. Dafür traf ich in diesen zwei Stunden unerwartet viele Bekannte im Kasino, von denen ich nie gedacht hätte, dass sie ihre Freizeit an Spieltischen vergeuden würden.

Nachts träumte ich schlecht. Ich sah seltsame Geldscheine, mit der Zahl Dreiundzwanzig darauf und dem Kopf von Alexander Iwanowitsch in der Mitte. Er gab auf. Nach einer Woche fuhr er gesenkten Hauptes wieder nach Frankfurt zurück. Wir dachten schon, wir würden den Mann nie wiedersehen, doch zehn Tage später rief er uns quicklebendig aus Amerika an. Statt ihn umzubringen, hatten seine Geschäftspartner ihn in einer Geheimmission nach San Francisco geschickt. Dort sollte er für seine Gläubiger bei einer amerikanischen Partnerfirma

Schulden eintreiben. Diesen schwierigen Auftrag erfüllte Alexander Iwanowitsch glänzend. Leider gab es in San Francisco zu viele Kasinos. Sie hinderten ihn daran, das Land der unbegrenzten Möglichkeiten mit dem Geld anderer Menschen in der Tasche auf dem schnellsten Wege wieder zu verlassen.

Als er uns anrief, erkundigte sich Alexander Iwanowitsch vorsichtig, ob er unsere Berliner Wohnung noch einmal als Zufluchtsort nutzen könnte. Wir hatten damals jedoch gerade andere Probleme und sagten Nein. Und schließlich hatten wir Besseres zu tun, als die Nächte in Berliner Kasinos zu vertun. Deswegen logen wir ihm vor, selbst auf Reisen gehen zu wollen. Ich hatte ihn damals bereits abgeschrieben: Noch zwei, maximal drei Jahre hatte ich Alexander Iwanowitsch gegeben. Doch ich irrte mich. Der Grund für die falsche Einschätzung der Lebenserwartung von Alexander Iwanowitsch lag daran, dass ich viel zu lange im Westen gelebt habe. Hier wird die russische Lebenserwartung traditionell als besonderes niedrig eingeschätzt. Oft kann man in den westlichen Medien nachlesen, die Russen würden es im Schnitt nur noch auf siebenundsechzig Jahre bringen, während die Menschen im Westen es bis einundachtzig schafften, in Japan wären sie sogar noch langlebiger. In Wirklichkeit ist die Lebenserwartung aber nur eine

Frage der Einstellung. Meine Landsleute haben eine riesige Lebenserwartung, sie erwarten von ihrem Leben sehr viel. Die Leute im Westen leben dagegen nach dem Schildkröten-Prinzip: zwar lange, aber langsam. Mit zwanzig sind sie erst mit der Schule fertig, mit dreißig denken sie über ihren Wunschberuf nach, mit vierzig spielen sie mit dem Gedanken, irgendwann einmal eine Familie zu gründen, und mit fünfzig fangen sie an, nach der richtigen Partnerin dafür zu suchen. Die Russen dagegen wollen alles sofort und mehrmals. Oft schaffen sie es, drei Leben hinter sich zu lassen, während ihre Altersgenossen im Westen gerade erst in der Mitte ihres ersten und einzigen Lebens stecken.

Und so trafen wir letztes Jahr unseren alten Freund Alexander Iwanowitsch in Sankt Petersburg wieder, mitten in seinem siebten Leben, im Restaurant »Schwangere Spionin«, dessen Besitzer und Geschäftsführer er geworden war. Der idiotische Name dieses Lokals ist im Übrigen landestypisch. Die meisten gehobenen Restaurants in Russland tragen solche eigenartigen Namen, weil sie in erster Linie keine kulinarischen Einrichtungen sind, sondern ein Hort der Unterhaltung. Meine Landsleute gehen nicht in ein Restaurant, um ihren Magen zu stopfen, das können sie auch zu Hause tun. Wenn sie ausgehen, dann wollen sie unterhalten werden, und zwar richtig. Je ausgefallener die Show, desto größer der Umsatz.

In der »Schwangeren Spionin« wurden wir ausschließlich von jungen Frauen bedient, die so taten, als wären sie im neunten Monat schwanger. Dabei sprachen sie alle männlichen Gäste im Restaurant an, als kämen sie als Väter ihrer Kinder infrage. Die Frauen waren wahrscheinlich gut ausgebildete Schauspielerinnen, alle zehn Minuten flippte der eine oder andere Gast darüber aus.

Alexander Ivanowitsch war uns gegenüber sehr freundlich, er hatte vor kurzem geheiratet, und sein Laden lief gut. Die ersten Jahre nach seiner Rückkehr in die Heimat dürften nicht leicht für ihn gewesen sein. Er hatte sich zunächst weiter im Stahlhandel versucht und war von seinen Gläubigern in einem kleinen Büro an den Tisch gekettet worden. Er übernachtete und aß im Büro. Sein unfreiwilliger Spielsuchtentzug dauerte fast ein halbes Jahr. Danach wurde er freigelassen und wechselte die Branche. Inzwischen steigt seine Lebenserwartung beinahe täglich. Nächstes Jahr wird er fünfzig und sieht auch wie ein Fünfzigjähriger aus. Sein Reichtum war nicht zu übersehen. Komisch, dachte ich, in den sechzehn Jahren, die ich bisher in Deutschland verbrachte, habe ich bestimmt Hunderte kennengelernt, die viel

116

vermögender als Alexander Ivanowitsch waren, doch sie ließen es sich nicht anmerken und blieben in meiner Erinnerung allesamt arm. Nur wenn Europäer irgendwo im Osten landen, fangen sie manchmal an zu glänzen und zu blinken, wie frisch gekaufter Weihnachtsschmuck auf einer jungen schwedischen Tanne.

Ein solches Exemplar, dazu noch einen Schweden, haben wir damals in der »Schwangeren Spionin« kennengelernt. Er hieß Sven und drückte jeder Bedienung und jedem Restaurantgast seine Visitenkarte in die Hand. Sven logierte in Sankt Petersburg in demselben schicken Hotel wie wir, in einer sogenannten Business Suite im vierten Stock. Laut seiner Visitenkarte sollte er der Generaldirektor von Ikea sein. Ich weiß nicht, wie viele Generaldirektoren von Ikea es auf der Welt gibt, ich nehme an, zwei Dutzend. Dieser eine führte sich jedoch auf, als wäre er der einzig wahre und hätte auch schon die halbe Welt mit seinen Produkten vermöbelt.

Russland hatte es Sven angetan, er schmiss mit Geld nur so um sich, als hätte er erst in Sankt Petersburg seinen wahren Reichtum entdeckt. Eigentlich war er in die Stadt gekommen, um Geschäftskontakte zu knüpfen und die Sankt Petersburger mit preiswerten schwedischen Möbeln zu beglücken. Stattdessen verschwendete er die meisten seiner Visitenkarten an die hübschen jungen Damen in unserem Hotel, die mit bunt bemalten Gesichtern und in weit aufgerissenen Dekolletés an der Bar im ersten Stock auf Kundschaft warteten, im Dienste der Liebe und der Völkerverständigung. Es sah aus, als würden die Sankt Petersburger noch lange auf ihre Möbel warten müssen.

Der Schwede ging pünktlich jeden Tag gleich nach dem Frühstück in die Bar. Es war unklar, wann und wo und ob er überhaupt seine geschäftlichen Verabredungen wahrnahm. In kürzester Zeit fand vor meinen Augen eine bemerkenswerte Verwandlung statt. Aus einem bescheidenen großen Schweden wurde ein millionenschwerer Ikea-Superscheich. Larissa, Natascha, Tamara und ihr Kolleginnen fanden ihn alle toll und schämten sich auch nicht, ihm das direkt ins Gesicht zu sagen. Er musste so gut wie nichts dafür tun, nur gelegentlich sein Portemonnaie aus der Tasche ziehen.

Für einen Schweden, der in einer durch und durch feminisierten Gesellschaft aufgewachsen ist, in der man nur durch hartes soziales Engagement als gleichberechtigter Partner auf die Gunst einer Frau hoffen kann, die sich noch dazu nicht einmal anschickt, besser auszusehen, als die Natur vorgesehen hat – für einen solchen Schweden war die Bar im Hotel Angleterre zweifellos eine prickelnde Erfahrung. Manchmal überkam Sven jedoch der Verdacht, dass diese Frauen ihre Gefühle zu ihm bloß vortäuschten und in Wirklichkeit nur an seinem Geld interessiert waren. Das war eine schreckliche Vorstellung. Doch die Gefühle der Frauen waren echt. Sie liebten sein Geld aufrichtig, leidenschaftlich, hingebungsvoll. Und mit dem Geld zusammen liebten sie ihn – Sven.

Mit einer von diesen Frauen, Natascha, habe ich später im Hotel gesprochen. Sie erzählte mir gerne Anekdoten über den Schweden. Sexuell bewegte sich Sven hart an der Grenze zur Perversion. Er wollte gekämmt, ausgezogen, gestreichelt und auf die Wange geküsst werden. Einmal bestand er darauf, dass Natascha ihm halb bekleidet ein hartes Ei kochte. Ich wollte noch mehr von diesen neureichen europäischen Schweinereien erfahren, leider wurde unser Gespräch an dieser Stelle durch einen anderen Kunden unterbrochen.

Arbeit im vorigen Jahrhundert

Ich habe das Gefühl, dass niemand mehr arbeitet, alle sind nur noch mit Geldverdienen beschäftigt. Im heroischen Sozialismus wurde die Arbeit lange Zeit als ehrenvolle Aufgabe angesehen, die mit entsprechenden Ritualen gefeiert wurde. Die Weihe der jungen Arbeiter am Tag des Metallurgen zum Beispiel wurde im ganzen Land live im Fernsehen übertragen. Die jungen Familiengründer in den Arbeiterwohnheimen bekamen zur Hochzeit ein symbolträchtiges Bügeleisen geschenkt, »damit im Privaten alles glattgeht und es am Arbeitsplatz dampft«, wie es hieß. Die Arbeit jedes Einzelnen galt als sein Beitrag für das Wohl aller.

Im Kapitalismus muss dagegen die Arbeit dem bloßen Geschäftemachen weichen. In der kapitalistischen Produktion geht es in erster Linie um die Rationalisierung des Arbeitsprozesses, das heißt um die Reduktion der Produktionskosten, genau genommen ums Nichtarbeiten also. Im Kapitalismus ackert nur der Dumme, der Kluge macht Kasse. Die Arbeit ist unter solchen Bedingungen tückisch. Auf der alljährlichen Hausversammlung beschlossen kürzlich die Bewohner unseres Hauses, dem Hausmeister zu kündigen. Er hatte sich im Laufe des vorangegangenen Jahres um so gut wie nichts im Haus gekümmert, keine einzige Glühbirne ausgewechselt und nicht einmal die Briefkästen richtig beschriftet. Auf diesen Hausmeister war kein Verlass, er stellte bloß einen völlig überflüssigen Posten auf der Betriebskostenabrechnung dar. Unser junger, blond gefärbter Hausverwalter mit lackierten Fingernägeln lachte jedoch bloß über unseren Entschluss.

»Natürlich könnt ihr selbst die Glühbirnen auswechseln und Briefkästen beschriften«, meinte er. »Wahrscheinlich werdet ihr es sogar schneller und besser als der Hausmeister tun. Aber überlegt es euch noch einmal. Der Hausmeister ist nämlich versichert, aber wenn jemand von euch von der Leiter fällt, müsst ihr die Krankenhauskosten selbst tragen.«

Das war ein schlagkräftiges Argument. Nach langen Diskussionen beschloss die Hausgemeinschaft, den Hausmeister zu behalten. Zumindest wussten wir jetzt, was der Sinn seiner Nichtarbeit war: einmal von der Leiter zu fallen, ohne dass wir dafür zu bezahlen brauchten. Dabei geht es unserem Haus nicht gut. Es tropft durchs Dach, und auf dem Hof wuchern gelbe Blümchen. Man darf die Schäden aber nicht beheben, höchstens fotografieren.

Oft sehe ich neue Gesichter bei uns auf dem Hof. Ältere Männer mit Pfeife im Mund und gepflegte alterslose Hausfrauen. Das sind Eltern aus Bayern, die ihre Kinder in Berlin besuchen. Ich stelle mir vor, wie sie ökologisch bewusst durch ganz Deutschland mit der Bahn fahren, Kaffee trinken, Kuchen essen und durch das dicke Fensterglas in die liebliche deutsche Landschaft schauen, auf weite Felder mit gelben Blümchen und kleine Wäldchen mit Fichten, die wie von Hand in Reih und Glied aufgestellt zu sein scheinen. In den Zugabteilen hängen überall Plakate mit grauhaarigen Männern, die durch diese lieblichen Landschaften spazieren oder gelbe Blümchen sammeln und dabei glücklich lächeln. Sie werben für ein Prostatamedikament.

In amerikanischen Zügen, so glaube ich zumindest, wird wahrscheinlich mehr für Viagra geworben.

Amerikanische Frührentner sind einfach noch nicht so entspannt wie die deutschen. Ich habe sie schon mehrmals in russischen Nachtclubs erlebt, sie suchen stets Ärger und sind für alle Arten von Abenteuern zu haben. Deutschland scheint in dieser Hinsicht – glücklicherweise – sein Pulver bereits verschossen zu haben. Ohne Schmerzen zu pinkeln und auf dem Hof gelbe Blümchen zu gießen, das ist unser Ehrenbeitrag zur Weiterentwicklung der Welt. Vielleicht macht der Kapitalismus bald auch noch die Chinesen, Afrikaner und Inder reich, dann wird niemand mehr arbeiten müssen, die Lebensmittel werden von Computern und Robotern produziert, und der letzte Arbeiter wird wegrationalisiert sein.

Die größten Arbeitseinsätze des Sozialismus oder das, was von ihnen übrig geblieben ist, werden in die Reiseführer der Zukunft aufgenommen als Attraktionen für neugierige Prostata-Touristen. Ein solches Highlight wird dann unter anderem die sibirische Stadt Bonivur abgeben, die letzte Baustelle des heroischen Sozialismus. Vitali Bonivur ist eine historische Figur, ein Held aus der Zeit des sowjetischen Bürgerkrieges, der für die Befreiung Sibiriens und für die Weltrevolution kämpfte: zuerst gegen die japanischen Okkupanten und dann gegen die Weiße Armee von Admiral Koltschak. 1922, mit zwanzig Jahren, verlor er sein Leben. Berühmt wurde er im ganzen Land durch das sowjetische Abenteuerbuch *Das Herz von Bonivur*, das 1944 veröffentlicht und 1969 verfilmt wurde.

Der romantische Geist von Vitali Bonivur, dieses russischen Helden zwischen Bonaparte und Bolivar, wehte bis in die Achtzigerjahre durch das Land. Auf den Namen Bonivur wurden Kolchosen, Krankenhäuser, Straßen und Schulen getauft. Mitten in der sibirischen Taiga legte man eine ganze nach ihm benannte Arbeiterstadt an: als Denkmal für den Sieg des Proletariats über den Kapitalismus und die Widrigkeiten der Natur. Im Zentrum von Bonivur wurde ein großes Kulturhaus errichtet, in dessen Fassade man einen Brief einmauerte: »An die jungen Arbeiter aus dem Jahr 2017«. »Liebe Nachfahren!«, heißt es da. »Ihr feiert nun das hundertjährige Jubiläum der Großen Sozialistischen Oktoberrevolution. Wir beneiden Euch! Mit Eurer Stoßarbeit könnt Ihr gemeinsam mit den befreiten Arbeitern aus der ganzen Welt zu diesem Jubiläum beitragen.«

Die Stadt Bonivur wurde nie zu Ende gebaut. Bereits in den Achtzigern wurden immer mehr Arbeitskräfte abgezogen, und kurz vor dem Zerfall der Sowjetunion verließen die letzten Baubrigaden diese letzte Baustelle des Sozialismus mit einem Schiff namens

Dreißig Jahre DDR. Einsam und verlassen steht die Bonivur heute in der Taiga. Langsam erobert die Natur die einst kultivierten Flächen zurück. Junge Bäume sprengen den Asphalt. Die Mauern des Kulturhauses zerfallen. Den Brief »An die jungen Arbeiter« lesen die Bären den Wölfen vor.

Schimmelige Hunde

Mit sechzehn bekamen junge Menschen in der Sowjetunion ihr erstes Dokument. Der rote Pass galt als
Ausweis endgültigen Erwachsenenseins, und alle Schüler waren ein bisschen stolz. Unsere Klassenlehrerin
forderte uns auf, die Pässe mit in die Schule zu bringen, in einer besonderen Unterrichtstunde würde sie
uns alle Rechte und Pflichten eines frischgebackenen
Sowjetbürgers erklären. Meine Klassenkameraden
wollten unbedingt meinen Pass sehen, aber ich drückte
mich, weil darin gleich neben dem Foto unter der
Rubrik Nationalität »Jude« stand. Ein solches Dokument konnte mir keine zusätzliche Autorität verschaf-

fen. Aber unsere Lehrerin bestand blöderweise darauf, dass wir uns unsere Pässe gegenseitig zeigten.

»Kaminer will sich nicht ausweisen, er hat einen Judenpass!«, schrie einer der Schüler. Die ganze Klasse lachte, alle wollten auf einmal nur noch meinen Pass sehen. Die Lehrerin murmelte irgendetwas über den Internationalismus des sowjetischen Bürgers. Das war für mich ein schwacher Trost. In der ganzen Klasse schien ich der Einzige mit einer krummen Nationalität zu sein. Zwei weitere Schüler, die genau wie ich aus jüdischen Familien stammten, hatten keinen solchen Eintrag in ihrem Dokument. Anscheinend hatten sie einen russischen Großvater oder eine russische Oma oder einfach gute Beziehungen.

Eine wichtige Lehre, die ich aus dieser Unterrichtsstunde mit nach Hause nahm, war: Ich bin in einem Gastland aufgewachsen, gehöre nicht ganz hierher und muss meinen Pass nach Möglichkeit geheim halten. Der erste Mensch, dem ich das rote Dokument dann ein Jahr später freiwillig zeigte, war mein neuer Freund Kazman. Er besaß auch einen »Judenpass« und machte daraus kein Geheimnis. Im Gegenteil. Kazman brachte mich »auf den Berg« – so nannte man die kleine steile Straße in der Nähe des Denkmals für die heldenhaften Verteidiger von Plewna, wo sich die Moskauer Synagoge befand. Dort lernte ich viele andere Jungs kennen, in deren Pässen zum Teil noch heißere Sachen unter der Rubrik »Nationalität« standen: »Moldawischer Jude« oder »Usbekischer Jude« zum Beispiel.

Diese jungen Leute hatten früh erkannt, dass es auch Spaß machen konnte, ein Jude in der Sowjetunion zu sein. Zu jedem jüdischen Feiertag fand auf dem Berg ein leicht aufrührerisches Straßenfest statt. Hunderte von Menschen versammelten sich dort, während die Miliz und der KGB versuchten, die Leute im Zaum zu halten, meistens allerdings vergeblich. Jedes Mal gab es einen Höhepunkt bei diesen Feierlichkeiten. Mal warf eine ältere Aktivistin mit dem Spitznamen »Dampfer« mit bloßen Händen das kleine Lada-Polizeiauto um, ein andermal wickelten sich mehrere Teilnehmer in Bettlaken, auf denen »Lasst uns raus nach Israel!« stand, und liefen von den Ordnungshütern verfolgt wie Gespenster um die Synagoge. Kazman und ich machten natürlich immer mit, es war laut, eng und stimmungsvoll, wie bei einem guten Open-Air-Konzert – nur ohne Bands.

Gegenüber der Synagoge befand sich die Redaktion der Zeitung *Sowjetischer Sport*. Dort saßen rund um die Uhr einige KGB-Männer, deren Sport es war, die Juden zu beobachten. Immer wieder landeten Aktivisten in der Redaktion, wo sie verhört wurden. Auch wir landeten dort. Die Beamten kannten uns vom Sehen und hatten von uns bereits die Nase gestrichen voll.

»Du bist doch in ein paar Wochen sowieso in deinem geliebten Israel, was hast du hier noch verloren?«, herrschte einer der Beamten meinen Freund an. Nach zwei Stunden warfen sie uns wieder raus. Ich wusste von Kazmans baldiger Abreise gar nichts und fragte ihn sauer, wie man das bitte verstehen dürfe, dass der KGB besser informiert war als seine Freunde.

»Ich kann hier überhaupt nicht mehr atmen, ich muss raus«, winselte er. »Wenn ich noch länger hierbleibe, werde ich vielleicht sterben!«

Kazman litt tatsächlich seit frühester Kindheit unter einer schweren Krankheit, die sich in Atembeschwerden, Erstickungsanfällen und Augenjuckreiz äußerte. Die Ärzte diagnostizierten eine chronische bronchiale Entzündung, aber er traute der sowjetischen Medizin nicht und machte das Klima der mittelrussischen Ebene für seine Leiden verantwortlich. Kazman mochte seine Heimatstadt nicht, alles hier kam ihm kalt und grau vor: die Häuser, die Menschen, die Autos im matschigen Schnee. Ich nannte seine Krankheit Russland-Allergie. Normalerweise reichten ein paar Bier, um Kazman Moskau gegen-

über wieder freundlicher zu stimmen, doch manchmal, wenn er sein Asthmaspray bei irgendeiner Party
vergaß, konnte es ziemlich lebensbedrohlich werden.
Einmal bekam er einen Erstickungsanfall um zwei
Uhr nachts direkt neben dem Roten Platz, in einer
Gegend also, wo wir niemanden kannten. Als Medizin hatte wir nur eine angebrochene Cognacflasche.
Mit Kazman im Arm suchte ich die nächste dienst-
habende Apotheke, fischte seine Kodeinrezepte aus
seiner Tasche und ließ mich von der alten Apotheken-
hexe als »Drogenschwein« und »Kodeinmutant« be-
schimpfen.

Kazman erhoffte sich nun die ultimative Heilung
auf israelischem Boden. Einen Monat später verabschiedete ich mich auf dem Kiewer Bahnhof von meinem Freund – »für immer«, wie er damals pathetisch
meinte. Er fuhr allein, seine Mutter machte gerade
Karriere in einer Papierverarbeitungsfabrik in einem
Moskauer Vorort und wollte um keinen Preis ihren
Job aufgeben. Ich wünschte Kazman gute Besserung.
In Israel wurde er in eine frisch gebaute Siedlung am
Wüstenrand einquartiert. Er schickte mir sogar ein
paar Fotos. Seine neue Heimat war nicht grau, sie
war blendend weiß. Nagelneue weiß gestrichene Häuser glänzten in der gleißenden Sonne, auf den Straßen lag weißer Sand, ein schneeweißer Kazman um-

armte eine einsame weiß bemalte Palme und lächelte
verlegen in die Kamera. Beide sahen ungesund aus.

Das Klima in Israel war ganz anders als in Russland: tagsüber sehr heiß, abends saukalt. Es gab keine
lustigen Demos, und alle seine Nachbarn waren Juden – auch nichts Besonderes. Am Vormittag saßen
die meisten auf einer Schulbank und lernten Hebrä-
isch, abends verschanzten sich alle in ihren weißen
Häusern und glotzten TV. Die Fernsehgeräte blinkten
in den nächtlichen Fenstern, und manchmal kamen
die Wölfe aus der Wüste und heulten die Fernseh-
lichter an. Kazmans Allergie begann, sich unter diesen Umständen zu verschlimmern. Der Farbenwech-
sel brachte nicht die erhoffte Genesung, er begriff
sich immer mehr als Weltmann und wanderte nach
sechs Monaten Wüstenleben nach San Francisco aus.
Dort lebte sein Onkel mütterlicherseits, der ein ty-
pisch amerikanisches Matroschka-Geschäft betrieb.
Er verkaufte Postkarten, T-Shirts mit »Love and Peace
in San Francisco«-Aufdruck, Lottoscheine und russische Souvenirs, Matroschkas, die von chinesischen
Handarbeitern in der Nachbarschaft angefertigt wurden und deswegen sehr robust waren, aber alle ein
wenig wie Mao aussahen.

Die frische Luft Kaliforniens brachte Kazman etwas Erleichterung, aber nicht für lange. Als Verkäufer

im Laden seines Onkels konnte Kazman fast einen Ehrenplatz im Guinnessbuch der Rekorde ergattern: In zwei Jahren verkaufte er dort keine einzige Matroschka, nicht einmal eine Postkarte. Mein Freund, der sich im Sozialismus sehr erfindungsreich gezeigt und immer gut über die Runden gekommen war, hatte im Kapitalismus große Anpassungsschwierigkeiten. Auch beim Konsumieren hatte Kazman Pech. Das erste Auto seines Lebens erwarb er 1992 bei einem Gebrauchtwagenhändler. Für einen Superpreis von hundert Dollar wurde er stolzer Besitzer eines großen amerikanischen Fords, aber nur für eine Stunde. Auf dem Weg nach Hause fuhr sein Auto immer langsamer und dann gar nicht mehr. Die Geräte zeigten eine Überhitzung des Motors an. Als Kazman seinen Wagen reparieren wollte, musste er feststellen, dass der Hubraum zugeschweißt war. Man hätte ihn nur mit einer Motorsäge öffnen können. Er ließ den Wagen mitten auf der Straße stehen und ging zu Fuß nach Hause. An dem Tag bekam er seinen ersten Erstickungsanfall in Amerika. Danach ging es mit seiner Gesundheit immer mehr bergab, die kalifornischen Farben halfen nicht mehr. Die amerikanischen Ärzte sagten ihm, sein Asthma würde durch allergische Reaktionen ausgelöst. Doch worauf genau er allergisch reagierte, konnten sie nicht herausfinden.

Als Kazman erfuhr, dass es mich nach Berlin verschlagen hatte, wollte er mich unbedingt besuchen. Er habe viel Gutes über das europäische Klima gehört, auch die Farben sollten bei uns zufriedenstellend sein, schrieb er und bat mich, ihm eine Bleibe in Berlin zu organisieren. Ich mietete für ihn eine preiswerte Wohnung für einen Monat in Wedding. Kazman borgte sich Geld von seinem Onkel und flog nach Berlin. Hier wurde ihm gleich am ersten Tag schlecht. Er konnte kaum atmen, bekam noch Juckreiz und Halsschmerzen dazu. Seine Nase lief. Er schimpfte auf die deutsche Hauptstadt. Ich dagegen beschloss, nun endgültig seine geheimnisvolle Krankheit aufzuklären. Ich schleppte Kazman zu einem mit uns bekannten Allergologen, dann zu noch einem und noch einem anderen. Sie machten Tausende von Tests, die nichts und wieder nichts brachten.

Doch ich gab nicht auf. Statt einen Monat hielt Kazman es vier in Berlin aus. Zuletzt fand ein kluger Arzt dann doch noch die Ursachen für seine Allergie. Zwei Tests waren positiv: die auf Hunde und Schimmel. Wir waren sprachlos. Kazman hatte noch nie mit einem Hund unter einem Dach gewohnt und war auch nicht verschimmelt. Ich hatte schon gedacht, mein Freund sei allergisch gegen die Welt, er sei zu ewigem Ortswechsel verdammt, könne sich nirgendwo länger aufhalten, weil es keinen Ort auf der Welt gab, der ihn glücklich machen konnte. Aber nicht doch. Schimmelige Hunde waren die Ursache für seinen Reisestress.

Von Berlin fuhr Kazman nach Moskau zurück. Er schreibt mir in der letzten Zeit nur noch selten. Ich habe gehört, dass er in der Firma seiner Mutter arbeitet, die fast alle russischen Verlage mit Papier beliefert. Während Kazman unterwegs war, stieg seine Mutter in den ersten Perestroikajahren beinahe zu einer russischen Oligarchin auf und erschuf aus dem Nichts ein ganzes Papierimperium. Seitdem aber Kazman in das Familiengeschäft eingestiegen ist, steuert es unausweichlich Richtung Pleite. Er ist noch immer krank – in seinem letzten Brief schwärmte er von Thailand. Ein ganz anderes Klima soll dort herrschen, immer warm und die Menschen immer freundlich, alles sehr preiswert und bunt. Er spiele mit den Gedanken, sich mit Mutters Geld für längere Zeit in Bangkok niederzulassen.

»Die schimmeligen Hunde werden Dich auch dort finden, mein Freund«, schrieb ich ihm skeptisch zurück.

Die Straßen des vorigen Jahrhunderts

Einmal habe ich mich furchtbar verlaufen – in Mannheim: »eine moderne Stadt«, deren Bewohner laut Werbeprospekt »anspruchsvolle Stadtmenschen sind, die kurze Wege wollen«. Wahrscheinlich wegen dieser kurzen Wege haben die Mannheimer auf Straßennamen verzichtet. Hätte ich ihren Werbeprospekt früher gelesen, dann wäre ich vorbereitet gewesen. »Leben im Quadrat« stand dort ganz oben fett gedruckt. Nun war es aber zu spät. Die von mir gesuchte Adresse lautete »R6Q5« oder so ähnlich.

»Da sind Sie hier in P1 ganz falsch«, klärten mich die höflichen Einheimischen auf, bestimmt alles leidenschaftliche Schachspieler, die sich in ihren Quadraten bestens auskannten. »Haben Sie in der Schule kein Alphabet gelernt?«, fragten mich einige erstaunt. Mehrmals lief ich um die gleichen, ordentlich durchnummerierten Blöcke herum. Die Schule und das Alphabetlernen, das lag Jahrzehnte zurück. Ich vermisste Straßenschilder, die man sich merken konnte, Straßen, die menschliche, florale, faunale oder sogar galaktische Namen trugen. Aber Mannheim ist anders.

In Tokio, so erzählte mir ein Freund, sind die Straßen überhaupt nicht beschriftet, aber die Einheimischen finden dort trotzdem immer den richtigen Weg, weil sie genau wissen, wo sie hin wollen. Einem Ausländer dagegen würde die Straßenbeschriftung ohnehin nichts nutzen, denn er könnte sie ja nicht entziffern. Nach dieser seltsamen Logik brauchen die Japaner den Straßen keine Namen zu geben.

In meiner Heimatstadt Moskau scheiterte neulich eine groß angelegte Aktion des Bürgermeisters, die Straßen moderner zu gestalten. Er wollte an allen Häusern Klingelschilder mit Gegensprechanlagen montieren. Die entsprechenden Schilder und Paneele mit Knöpfen wurden zwar an den Haustüren angebracht, aber den Bewohnern war es unheimlich, ihre Namen so der breiten Öffentlichkeit preiszugeben. Das war, als würde jeder in Deutschland seinen Gehaltszettel an die Hausfassade kleben, also das heiligste Tabu des Kapitalismus brechen. Durch diese anonymen Knöpfe auf den Gegensprechanlagen sind die Moskauer nun noch untergründiger geworden: Der richtige Knopf wird nur den besten Freunden und engsten Verwandten ins Ohr geflüstert. Dafür sind in Moskau fast alle Straßen ordentlich beschriftet. Die meisten zwar an schwer auffindbaren Stellen, aber immerhin.

Ich bin insgesamt achtmal im Leben umgezogen, vom Platz der Verteidiger der Festung Brest in Moskau bis zur Schönhauser Allee in Berlin. Durch diese Wohnortwechsel habe ich gelernt, dass Straßennamen nicht nur nützlich sind, manchmal können sie sogar auf metaphysische Art das Schicksal der Bewohner beeinflussen. Die großen Umbenennungswellen, die in den Neunzigerjahren über Moskau und Berlin hereinbrachen, haben mich in diesem Aberglauben noch bestärkt. Zwei Freunde meiner Mutter, ein älteres Ehepaar, leben seit Jahrzehnten in Berlin-Lichtenberg, genau genommen in Friedrichsfelde, in der Hans-Loch-Straße. Sie wohnen dort schon so lange, dass sie vergessen haben, wer dieser Hans Loch eigentlich war. Und die Neuankömmlinge, die nach der Wende dorthin zogen, hat es erst gar nicht interessiert.

Bis 1991 war es eine ruhige, stille Straße. Die Wiedervereinigung hatte dort keinerlei Spuren hinterlassen. Aber nachdem man die Hans-Loch-Straße in Michigansee-Straße umgetauft hatte, wurde es dort unruhig. Zuerst brachen in mehreren Häusern die Wasserleitungen, wobei viele Kellerräume verwüstet wurden und sogar einige Wohnungen unter Wasser standen. Nachdem die Wasserleitung repariert war, fing es in Friedrichsfelde zu regnen an wie noch nie zuvor. Selbst wenn in anderen Berliner Bezirken die Sonne schien, quakten am Michigansee die Frösche unter den Büschen, und der Schimmel wucherte an den Wänden.

Viele sagten damals, der alte Hans Loch würde sich damit für seine Verbannung ins Jenseits rächen, und schlugen die Geschichtsbücher auf, um mehr über den Mann zu erfahren. Einige andere zogen um, in Straßen, die trockenere Namen hatten. Hans Loch war übrigens ein trockener Bürokrat, das hat aber mit unserem Thema nichts zu tun. Ich möchte an dieser Stelle ausdrücklich betonen, dass ich an die Welt der Geister nicht glaube. Immerhin hat die Hälfte meiner Landsleute ihre Jugend auf Karl-Marx-Alleen verbracht, und ihnen sind keine wilden Bärte gewachsen. Die andere Hälfte tobte sich auf den ebenso zahlreichen Lenin-Straßen aus, bekam aber trotzdem keine Glatze. Obwohl – einige doch. Ziemlich viele sogar.

Bei uns in Moskau waren die guten Straßennamen, also solche, die Unterhaltung und Abenteuer versprachen, fast alle im Zentrum. Dort wurden die Straßen nach Jubiläen, Festen, trunkenen Dichtern und romantischen Schriftstellern benannt. Je weiter vom Zentrum entfernt, desto trostloser wurden die Straßenschilder. Am Stadtrand trugen die Straßen Namen von erschossenen Helden und gequälten Partisanen, die alle furchtbar leiden und jung sterben mussten. Als Kind lebte ich mit meinen Eltern am Arsch der Welt: wie gesagt, am Platz der Verteidiger der Festung Brest, so genannt zu Ehren einer Gruppe von Soldaten, die 1941 ihre Stellung an der polnisch-weißrussichen Grenze bis zum bitteren Ende verteidigt hatte, von der regulären Armee isoliert, ohne Proviant, ohne Munition, ohne Hoffnung. Dieser Platz befand sich in einem Moskauer Schlafbezirk, wo nach zweiundzwanzig Uhr kaum noch Menschen auf der Straße zu sehen waren. Der letzte Kinofilm wurde im gleichnamigen Filmtheater um zwanzig Uhr gezeigt, danach herrschte Ruhe im Bezirk. Nur wir jungen aufstrebenden Biertrinker saßen unter dem gleichnamigen Denkmal und vergeudeten dort unsere Jugend – ebenfalls ohne Proviant, ohne Munition, ohne Hoffnung.

Meine Frau besaß eine Zeit lang eine Kellerwohnung in der Lisa-Chaikina-Straße, so benannt zu Ehren einer im Krieg erschossenen jungen Partisanin. Nach dem Zustand der Kellerwohnung zu urteilen, wurde die Jungkommunistin direkt dort mit einer großkalibrigen Waffe hingerichtet: Überall waren große Löcher in den Wänden. Mit sechzehn zog ich in ein altes leer stehendes Haus im Zentrum, zwischen dem Weihnachtsboulevard und dem Platz der Kolchosbäuerin. Ab da ging es langsam bergauf. In Berlin dann lernte ich meine Frau kennen, sie arbeitete in einer Kneipe an der Ecke Sredzki- und Knaackstraße, eine Kreuzung zwischen einem Widerstandskämpfer und einem Komiker! Wir zogen zusammen in den Prenzlauer Berg, und um unser Haus herum waren nur Straßen, die nach Kriegsschlachten benannt worden waren: Belforter, Saarbrücker, Diedenhofer. Wahrscheinlich gab es deswegen bei uns auch ab und zu mal Krach. Seit wir in die Schönhauser Allee gezogen sind, herrscht aber Ruhe in unserem Wohnzimmer.

Die große magische Bedeutung der Straßennamen offenbarte sich mir letztens, als wir meine Schwiegermutter in Russland besuchten. Die Familie meiner Frau lebte bis 1991 in Grosny, der Hauptstadt von Tschetschenien, in der Dostojewski Gasse. Nach dem tschetschenischen Aufstand, der gegen die dort lebenden Russen gerichtet war, mussten sie über Nacht die Stadt verlassen und ließen sich in einem Tal im Nordkaukasus nieder, nicht weit von der tschetschenischen Grenze entfernt. Dort mussten sie das Leben von vorne anfangen. Zuerst überwinterten sie in der Steppe mit einem Dutzend anderer Flüchtlingsfamilien in Bauwagen und hatten nicht einmal eine Postadresse. Dann bauten sie nach und nach aus den Resten einer verlassenen Rinderfarm richtige Häuser. Seit zweieinhalb Jahren ist die Siedlung von der Gebietsadministration als Wohneinheit anerkannt. Als Erstes gönnten sich die Bewohner ein Straßenschild in der Steppe, obwohl sie sich auf der flachen Ebene unmöglich verlaufen konnten. Den Namen ihrer Straße durften sie selbst bestimmen. Modern sollte der Name klingen, anspruchsvoll und optimistisch. Nach monatelangen Debatten und so verrückten Vorschlägen wie »Unter den Birken« oder »Kaukasusboulevard« einigten sie sich auf »Steppenpiste«.

Auf der anderen Seite der verlassenen Rinderfarm stand seit eh und je ein kleines Dorf. Dort wohnten die ehemaligen Melker, die früher auf der Farm gearbeitet hatten. Diese Einheimischen erblassten vor Neid, als sie das Straßenschild sahen. Sie waren zwar auch als selbstständige Wohneinheit anerkannt und wurden einmal in der Woche vom Briefträger beehrt, hatten aber bis dahin immer ohne Straßenschild vor sich hin gelebt. Mehrmals entfalteten sie deswegen terroristische Aktivitäten gegen das Schild der Nachbarn. Dann entstand auch in dieser Wohneinheit spontan eine Volksinitiative zur Gründung der ersten Straße. Einen schönen Namen hatte man sich bereits überlegt: »Milchstraße« sollte sie heißen, obwohl es dort längst keine Kühe mehr gab. Aber vielleicht würden sich danach einige welche zulegen. Auch eine Kreuzung mit der Steppenpiste ist schon geplant.

I.　　　II.　　　III.

Ninja-Werden in drei Schritten

Neulich in Moskau besichtigte ich einige Buchläden: Was für eine Vielfalt! Nur achtzehn Jahre nach der Konterrevolution stehen Tausende von Titeln für jeden Geschmack in den Regalen – alles, was das neue Herz begehrt. Gut, ein paar Krimis und Abenteuerromane gab es auch früher, sie wurden regelmäßig in der damals sehr populären Monatsbeilage der Zeitschrift *Die Dorfjugend* abgedruckt. Und die klassische Belletristik, die Schriftsteller der alten Zeit, konnte man mit Mühe und Not im Samisdat finden. Was aber im Sozialismus grundsätzlich fehlte und sich erst in diesen wilden kapitalistischen Jahren entfal-

tete, war die Ratgeberliteratur, dieses zusammenge-
presste Wissen für Millionen, die Gebrauchsanwei-
sungen für das Leben – die Anleitung, wie man alles
richtig ineinandersteckt.

Allein schon diese herrlichen Titel geben einem
Mut, sie meinen es gut mit einem: Alles ist möglich,
für nichts ist es zu spät, lies einfach nur dieses Buch,
und auch du alter Waschlappen kriegst einen hoch,
auch du hirnloser Vollidiot kannst noch klug und in-
telligent werden! Sei nicht so ungläubig, lies einfach,
und schon bist du auf der Sonnenseite des Lebens.
Während die deutschen Ratgeber sich noch in den
Grenzen des Nachvollziehbaren bewegen, abgesehen
von einigen ulkigen Fantasietiteln wie *So zähmen Sie
Ihren inneren Schweinehund, Kamasutra für Autofahrer*
oder *Zen und die Kunst, ein Motorrad zu warten,* versprechen die russischen Ratgeber mehr: *Mein kleiner
Garten auf dem Balkon – sich ernähren, ohne die Wohnung zu verlassen* zum Beispiel oder *Schnaps brennen
ohne Brenner.* Einen Ratgeber haben wir jedoch sofort
favorisiert und gekauft: *Wie werde ich Ninja in drei
Schritten.* Das hat uns ins Herz getroffen. Ninja in drei
Schritten, davon träumten meine Frau und ich schon
lange. Aber wer hätte gedacht, dass alle unsere Landsleute auch Ninjas werden wollen? Und das in drei
Schritten, das hat mich ehrlich gesagt umgehauen.

Würde man im Westen die zahlreiche Ratgeber-literatur zusammenlegen – lieferbar sind nach meiner Recherche zurzeit etwa über achtzehntausend Titel, die aber fast alle das Gleiche versprechen –, käme am Ende ein schlanker Steuerhinterzieher dabei heraus, Nichtraucher, der immer gut aussieht, immer glücklich ist, und egal, was um ihn herum geschieht, er hat immer einen Ständer. Ein Arschloch, also. Würde man die russische Ratgeberliteratur zusammenlegen, käme am Ende ein bastelwütiger Versager heraus, der Angst hat, seine Wohnung zu verlassen. Er weiß, dass nichts auf der Welt eine Anstrengung wert ist, außer der einen: Ninja zu werden, in drei Schritten.

Hätte ich dieses Buch als Kind in die Hand bekommen, wer weiß, was aus mir geworden wäre. Gab es aber früher nicht. Obwohl die Sowjetunion das Land der Räte hieß, gab es bei uns keine schriftlichen Ratschläge. Wir waren zu bescheiden. Das Handbuch, das man im Westen als *Noch mehr Spaß am Sex III* kennt, hieß bei uns *Die Harmonie in der Familienbeziehung* – ein kleines rosa Bändchen mit einem sozialistischen Adam und einer sozialistischen Eva auf dem Cover. Die beiden sahen aus, als hätte eine Verbrecherbande sie gerade bis auf die letzte Socke ausgeraubt. Auf jeden Fall stand ihnen ins Gesicht geschrieben, dass sie nichts miteinander zu tun haben wollten. Zwischen dem Mann und der Frau lag ein fauler Apfel, und aus dem Apfel blickte ein Wurm heraus. Es ging um Masturbation und Ehehygiene im Allgemeinen.

In der DDR, so haben mir Kollegen erzählt, gab es ebenfalls kaum Ratgeber, aber die wenigen trugen dafür etwas romantischere Titel wie *Denkst du schon an Liebe?* Oder: *Wie geht das?* Letzteres war eigentlich ein Reparaturbuch für Trabanten, wahrscheinlich so ähnlich wie das *Kamasutra für Autofahrer,* nur ohne Frau. Für die sowjetischen Autofahrer wäre ein solches Autoreparaturbuch uninteressant gewesen, denn ohne zu wissen, wie das geht, hätte der sowjetische Autofahrer keine Chance gehabt, überhaupt mit seinem Wagen loszufahren. Jeder musste gleich nach dem Kauf das Auto auseinandernehmen, alle vom Werk aus fehlenden Ersatzteile besorgen und dann das Auto zusammenbauen. Jeder Autofahrer war also sein eigener Ratgeber.

In der Sowjetunion und der DDR gab es dafür den gleichen politischen Ratgeber: *Was tun?* von W.I. Lenin. Ein Werk, das übrigens in Stuttgart zum ersten Mal die Welt erblickte, aber nicht ernst zu nehmen war, weil vor mehr als hundert Jahren geschrieben und völlig überaltert. Das Buch *Was tun?* war die Fortsetzung eines früheren Werkes von Lenin mit dem

Titel *Womit fangen wir an?* – und hat mit der Schrift von Trotzki, *Was nun?*, nichts zu tun. Im zweiten Teil seines Werkes faltet Lenin die Sozialdemokraten zusammen, die den Proletariern nur irgendwelche Forderungen nach wirtschaftlichen Reformen andrehen wollten, als ginge es bloß um einige Rubelchen und nicht um die Weltrevolution. Dieses Herunterspielen der revolutionären Bewegung zu einer Gewerkschaft nach westlichem Standard machte Lenin rasend. Er wollte den Kampf gegen die Monarchie von den wirtschaftlichen Zwängen befreien und war überzeugt, dass man nicht nur den Arbeitern, sondern allen Bevölkerungsschichten eine Sehnsucht nach neuen Verhältnissen einpflanzen müsse. Es wäre dabei nicht nötig, den Leuten alle Einzelheiten der sozialistischen Zukunft und den unvermeidlichen Untergang des Kapitalismus zu erklären, um sie für den Kampf gegen die verhasste Monarchie zu gewinnen. Das ging schon allein deswegen nicht, weil damals etwa achtzig Prozent der Bevölkerung Analphabeten waren. Also mussten die Menschen einfach an den Sozialismus glauben, so ähnlich wie sie an Gott glaubten.

Siebzig Jahre später gab es keine Analphabeten mehr, und auch über den Sozialismus wusste man nun zu gut Bescheid. Er war doch nur eine andere Form der Unterdrückung und der Tyrannei. Also zog uns der Kapitalismus in seinen ewigen Untergang. Er war zwar nicht neu und modern, dafür aber mit Schönheitswettbewerben, Bowlingcentern und freier Marktwirtschaft ausgestattet. Die ersten zehn kapitalistischen Jahre waren kein Honigschlecken, der Mensch mutierte zu einer bloßen Ware, wurde immer hilfloser und zum Sklaven der Märkte: Geld verdienen, Geld ausgeben – in diesem ewigen Kreislauf drehte er nun seine Runden. Was nun? Die russische Antwort heißt: *Mein kleiner Garten auf dem Balkon – sich ernähren, ohne die Wohnung zu verlassen.* Oder doch Ninja zu werden in drei Schritten? Sich unsichtbar und gefährlich bei den Schönheitswettbewerben und in die Bowlingcenter einschleichen, nichts ahnende Mitmenschen hypnotisieren und manipulieren, ohne Auftrag, einfach nur so aus Spaß. Und dann vor der Polizei fliehen, über Dächer und Balkone, teuflisch lachen und kleine giftige Pfeile ausspucken.

Das Handbuch für Ninja-Anfänger hält mehr, als es verspricht. In der Anleitung zum ersten Schritt heißt es: »Vergessen Sie alles, was Sie vorher zu wissen meinten. Und zwar wirklich alles: *Kamasutra für Taxifahrer, Was tun?, Zehn Kilo in einer Woche abnehmen* – diesen ganzen Quatsch. Ab heute sind Sie ein Baby. Sie können weder laufen noch sitzen. Essen und schlafen sind für Sie Fremdworte geworden. Sie müssen die Welt neu entdecken. Ihr Gefühl von Raum und Zeit wird ein anderes sein, und ehe Sie es merken, werden Sie übernatürliche Fähigkeiten entwickeln.«

Wie das geht? Seitdem wir in der Familie beschlossen haben, alle Ninjas zu werden, merke ich überhaupt erst, wie viele es davon schon gibt. Am Tage sind sie ganz normale Menschen, die ihre Kinder zum Kindergarten bringen, einkaufen gehen und Straßenbahn fahren. Es darf ja keiner wissen, dass sie Ninjas sind. Aber nachts, im Dunkeln, ziehen sie ihre schwarzen Kapuzen über und klettern an den Fassaden der alten Häuser hoch, hängen wie Schatten in den Kneipen herum oder kleben bei sich zu Hause an der Decke fest. Wie wir.

Das Rauchen im vorigen Jahrhundert

Fünfundzwanzig Jahre lang habe ich geraucht – an öffentlichen Orten und seit ich vierzehn war und noch zur Schule ging. Mein Einstieg als Raucher war alles andere als leicht, obwohl ich einen rauchenden Vater hatte, dessen Zigarettenverstecke ich regelmäßig plünderte. Doch mein Vater, ein Egoist, dachte bei der Wahl seiner Lieblingsmarke überhaupt nicht an die Kinder. Er rauchte einen solchen Scheiß, dass mir gleich nach dem ersten Zug die Augen aus dem Kopf fielen und die Lungen zusammenklappten. Mein Vater hatte allerdings auch keine allzu große Auswahl. Der sozialistische Staat gab sich bei der Produktion von Tabakwaren überhaupt keine Mühe. Er fügte seinem Tabak keinen Kakao, Zucker oder Fruchtessenzen hinzu, um den unangenehmen Geschmack der Zigaretten zu lindern, das hatte ein sozialistischer Staat einfach nicht nötig. Es gab in Moskau nur zwei Fabriken, die Zigaretten produzierten: *Java* stand für Qualität, die *Dukat* produzierte Stinkstroh, das man aus heutiger Sicht nicht mehr als Qualm, sondern als einen Terroranschlag einstufen würde. Heute würde eine halbe *Dukat*–Zigarette von damals, angezündet an einem öffentlichen Ort irgendwo in München zum Beispiel, zur sofortigen Evakuierung des ganzen Stadtteils führen.

Es ist schwierig, sowjetische Zigaretten mit den westlichen bunten Tabak-Bonbons zu vergleichen. Am meisten ähnelten die sowjetischen Kippen den *American Spirit*-Zigaretten, diesen alternativen, langsam brennenden und nach nichts schmeckenden Bio-Fluppen mit Indianerkopf auf der Weichpackung. Sie sind hier wegen ihrer Natürlichkeit sehr beliebt, besonders bei Intellektuellen. In Europa hat jede Berufsgruppe, jede gesellschaftliche Schicht eine eigene bevorzugte Marke, wir dagegen hatten alle das gleiche Stroh. Man würde meinen, das war soziale Gerechtigkeit pur, die alle an der gleichen Zigarette ziehen ließ. Doch die Parteibonzen rauchten Amerikanisches oder irgendetwas schönes Kubanisches, während sich das Volk mit dem sozialistischen Verschnitt begnügen musste.

»Der alte Freund unseres Landes, Fidel Castro, hat mir neulich zwei Zigarren geschenkt«, erzählte unser Generalsekretär Breschnew in einem berühmten Witz, »die eine habe ich selbst aufgeraucht, die zweite zünde ich jetzt an, nehme ein paar Züge und gebe sie weiter an das große sowjetische Volk.«

Eigentlich hatte ich als Siebenjähriger gute Chancen, mit feinem finnischem Marlboro-Tabak in die Welt des Rauchens einzusteigen. Damals wurde ich Zeuge, wie mein Nachbar Pavel, der zehn Jahre älter war als ich, heimlich unter der Treppe gut duftende Zigaretten rauchte. Er versteckte sich dort vor seinem strengen Nichtraucher-Vater, der statt einer oralen Erziehung die patriarchalische anale Variante zelebrierte. Bei jedem kleinen Vergehen griff der Vater von Pavel zu seinem Seemannsgürtel, mit dem er seinem Sohn aufs Hinterteil schlug, statt den Jungen aufzuklären. Diese aus heutiger Sicht völlig abwegige Art von Erziehung, die inzwischen zu Recht in Vergessenheit geraten ist, war im vorigen Jahrhundert in den totalitären Diktaturen des Ostens sowie auch in den autoritären Demokratien des Westens stark verbreitet. Es dauerte nicht lange, bis mein Nachbar

Pavel bemerkte, dass ich ihn bemerkte. Wahrscheinlich aus Angst, ich würde ihn verraten, steckte er mir eine Zigarette zu, in der Hoffnung, die gemeinsame Abhängigkeit würde uns zu Comrades in Crime zusammenschweißen. Doch mit sieben war ich am Rauchen noch gar nicht interessiert, das kam bei mir erst später.

Mein Vater war dagegen ein Frühentwickler gewesen, er hatte es geschafft, schon mit acht zu qualmen. Die deutschen Kriegsgefangenen hatten ihn abhängig gemacht. Als der Krieg begann, wurde mein damals siebenjähriger Vater zusammen mit seiner Mutter aus Odessa in ein Dorf hinter dem Ural evakuiert. Er war glücklich: ein Jahr Schulausfall und ein Reiseabenteuer gleichzeitig! Ein Jahr später kamen die ersten deutschen Kriegsgefangenen, die neben dem Dorf in einem Lager lebten und arbeiteten. Die Kinder klebten am Zaun, um mit den Soldaten Tauschgeschäfte abzuwickeln. Tabak, Seife und Rasierklingen waren die wichtigsten deutschen Währungen, die sie gegen Brot, Wodka und Speck eintauschten. Und natürlich qualmte bald jedes Kind wie ein Schlot. Mein Vater hat fünfzig Jahre lang durchgeraucht und dann in den späten Achtzigern aufgehört, als sich plötzlich alle begeistert dem Jogging hingaben. Auch mein Vater konnte dieser allgemeinen Hysterie nicht widerstehen. Nachdem aber zwei seiner besten Jogger-Freunde durch einen Herzinfarkt vorzeitig von ihrer Jogger-Strecke gerissen wurden, hörte mein Vater wieder mit dem Joggen auf und schaltete auf Fernsehen um.

Ich habe mit dem Rauchen aufgehört, als die Diskussion über das Rauchverbot in Deutschland losgetreten wurde. Diese medieninspirierte Hysterie zur Stigmatisierung des Rauchers als eine Art Todesengel, der gute Menschen an öffentlichen Orten mit Krebs vollqualmt, bewirkte bei mir eine Rauchblockade. Trotzdem bekam ich beinahe täglich Einladungen in Talkshows.

»Sie, als prominenter Raucher, haben Sie nicht Lust, den Advocatus Diaboli zu spielen?«

»Es tut mir leid, ich habe aufgehört. Vorübergehend.«

Ich weiß, spätestens in einem Jahr wird das Thema vergessen sein, eine neue Hysterie wird die Gesellschaft erschüttern. Niemand kann derzeit mit Sicherheit sagen, wie der nächste Feind heißen wird, wenn man aber der These Glauben schenken darf, dass alles Idiotische aus Amerika kommt, dann wird es wohl das Thema »Fett« sein. Es wird eine halbe Million Fetttote pro Jahr geben und mindestens dreitausend passive Fetttote, die nichts gegessen, sondern nur zugeschaut haben. Es werden fettsüchtige Prominente für Talkshows gesucht, solche, die zu ihren Fettpolstern stehen, und solche, die alles tun, um sie loszuwerden. Dann wird auch das Fett vergessen sein und wieder etwas Neues kommen, weil wir hysterieabhängig sind.

In diesen nikotinfreien Tagen erinnere ich mich gern an die ganz alten Hysterien, die es vor zwanzig, dreißig Jahren gab. Damals bekämpfte man rücksichtslos die Onanie. Es ging um Leben und Tod. Ob und wie viele aktive beziehungsweise passive Onanietote es damals gab, daran kann ich mich nicht mehr erinnern, es gab aber mit Sicherheit viele Verletzte. Onanie führte zu Ausdünnung des Rückenmarks, Verspannung des Beckens, Überspannung der Oberschenkelmuskulatur, ganz zu schweigen von Verletzungen im Genitalbereich, Kinderlosigkeit und schweren psychischen Schäden. Eine ganze Generation drohte auszusterben, tat es aber nicht. Im Gegenteil: Diese Onanie-Generation hat heute alle Fäden in der Hand. Sie sitzt im Parlament, sie bildet die Regierung, sie sitzt in allen Aufsichtsräten und Gremien und macht mit wenigen Ausnahmen einen recht gesunden Eindruck. Sie legt die Finger in die neuen Wunden unserer Zeit. Das Rauchen. Es stinkt so sehr an öffentlichen Orten, dass man sie nur mit einer

Gasmaske betreten kann! Und wir haben jahrelang geschwiegen!

Um aber die Luft wirklich sauber zu bekommen, würde ich ganz anderes als das Rauchen verbieten. Ich würde Autos und Kühe verbieten, wegen der Abgase, Biertrinker wegen ihres Rülpsens und Pupsens, überhaupt jeden Mundgeruch an öffentlichen Orten, dazu Sport, wegen des unangenehmen Schwitzens, Krieg und Terror, wegen des vielen Schießpulvers und der Sprengstoffe, Fußgänger wegen des ganzen Mülls, den sie verursachen, und zuletzt Magen-Darm-Grippen, damit immer ein frischer Wind weht und man ewig lebt – an öffentlichen Orten.

Rituale des vorigen Jahrhunderts

Ob man dynamisch oder faul ist, sich einen Lebens-
entwurf nach dem anderem bastelt oder auf das Au-
genzwinkern des Schicksals verlässt, das meiste im
Leben ereignet sich trotzdem. Die Eckdaten jedes
Lebenslaufs, die Meilensteine jeder Biografie-Geburt,
Heranwachsen, Altern und Sterben finden quasi ohne
jegliches Mitwirken des Subjekts statt, als wären wir
nur Nebendarsteller im Puppentheater der Natur.
Um die eigene Wichtigkeit hervorzuheben und die
Einmaligkeit des Geschehens zu unterstreichen, entwickeln die Menschen wie am Fließband kollektive
und individuelle Rituale, Gesten des Widerstands ge-

gen die Gleichgültigkeit der Biologie. Je mehr Rituale uns im Alltag begleiten, desto bedeutsamer erscheint unser Lebenswerk. Diese Rituale sind von ungeheuerer Vielfalt. Sie sind in der Regel in der Geschichte, den herrschenden religiösen Vorstellungen und der kulturellen Tradition des jeweiligen Landes verankert. Ganze Reiche, Imperien, Diktaturen und Demokratien gehen unter, sie lösen sich in der Geschichte auf, ihre Rituale aber bleiben bestehen.

Ich glaube fast, es gibt inzwischen mehr Rituale auf der Erde, als es Menschen gibt. Ihre ursprüngliche Bedeutung ist oftmals verloren gegangen, trotzdem halten die Menschen an ihnen fest. Seit fünfzehn Jahren lebe ich in Deutschland, und jedes Mal, wenn die Osterzeit anbricht und sich das Land mit Hasen und Eiern schmückt, frage ich meine Freunde und Bekannten, was diese Symbole für eine Bedeutung haben. Jedes Jahr bekomme ich eine andere Antwort. Die einen denken dabei an Frieden und Frühling, die anderen an Butter und Mutter, wieder andere an Hexen und Sex.

Ich habe auch oft erlebt, dass ein und dasselbe Ritual in verschiedenen Ländern ganz unterschiedliche Bedeutung hat. Ich bin in der Sowjetunion groß geworden; in unserem sozialistischen, atheistischen Vaterland wurden die meisten Rituale vom Staat kreiert und organisiert, Freude und Trauer musste man kollektiv äußern. So wurden die Moskauer beispielsweise zu jedem Jahrestag der Revolution zur Großen Parade am Roten Platz zusammengepfiffen, winkten dort mit kleinen Fahnen und bekamen dafür einen freien Tag, Studenten und Schüler hatten schulfrei. Falls einer von unseren Führern starb, bekamen wir ebenfalls schulfrei und mussten dafür nur kurz an einer Trauerfeier teilnehmen. Die meisten sowjetischen Rituale waren einfach und knapp. Umso gewichtiger erschienen uns die wenigen individuellen Rituale, die im Schatten des Staates, im Privaten, stattfanden. So musste zum Beispiel ein Vater nach der Geburt seines Kindes der Krankenschwester fünfundzwanzig Rubel geben und sich anschließend betrinken. Man durfte das Kind drei Monate lang niemandem zeigen, und außerdem hatte man die männlichen Babys immer in Blau, die weiblichen in Rosa zu kleiden.

Das wichtigste Ritual der Heranwachsenden war in meiner Jugendzeit die Pflege des erst noch wachsenden Schnurrbartes. Wir standen alle unter einem enormen Druck, den die körperlichen Veränderungen in der Pubertät mit sich brachten. Bei den Mädchen waren es die Brüste, die unterschiedlich schnell wuchsen, bei den Jungs die Schnurrbärte. Mädchen mit größeren Brüsten hatten die Nase vorn, die mit den kleineren schoben sich Papier in die BHs, was von ihren Mitschülerinnen jedoch gnadenlos entlarvt wurde. Die Jungs konnten bei ihren Schnurrbärten leider nicht so leicht schummeln. Wie bei jedem Wettbewerb genossen die Sieger beiderlei Geschlechts die größte Autorität in der Klasse, mit Ausnahme von Alina, einem Mädchen, das große Brüste und einen Schnurrbart hatte. Dieser Überschuss an Reife irritierte alle und kam deswegen nicht besonders gut an. Ich dagegen war ein Spätentwickler. Mein Schnurrbart ließ lange auf sich warten, und auch regelmäßiges Rasieren bei Vollmond brachte keine sichtbaren Ergebnisse. Die notwendige Dichte erreichte mein Schnurrbart erst, als ich schon mit der Schule fertig war. Damals führte ich wie viele Jugendliche ein Tagebuch, deswegen kann ich noch heute das genaue Datum rekonstruieren. Die Eintragung vom 26. Juni 1986 lautet: »Endlich, sie sind da.« Ein Schnurrbart kommt auf Russisch stets im Plural daher, weil es aus russischer Sicht immer zwei sind.

Aus heutiger Sicht kann ich mir nicht erklären, warum ich damals so plötzlich, quasi über Nacht, einen solchen rasanten Haarwuchs bekam. Vielleicht war es eine körperliche Reaktion auf den Rückzug der sowjetischen Armee aus Afghanistan. Es könnte aber auch mit der damaligen radioaktiven Situation in unserem Land zu tun gehabt haben. Im April 1986 explodierte das AKW in Tschernobyl, und während die offiziellen Quellen die Gefahren verschwiegen, schlugen westliche Radiosender Alarm. In der Bevölkerung kursierten verschiedene Rezepte zur Vermeidung möglicher gesundheitlicher Schäden. Am häufigsten wurden Rotwein der Marke Cabernet und Wodka mit Jod empfohlen. Die konservative Mehrheit trank jedoch zur Vorbeugung weiter Wodka mit Bier. Die Stimmung war alles andere als optimistisch. Alle hatten Angst vor radioaktiver Verseuchung. Man sprach von Krebs, Impotenz, Haarausfall. Bei mir wuchs über Nacht der Schnurrbart.

Im Herbst 1986 wurde ich einberufen. Laut eines ungeschriebenen Rituals durfte jeder Soldat, der auf dem Foto in seinem Militärausweis einen Schnurrbart trug, diesen auch während der Dienstzeit behalten. Auf meinem Foto war er nicht zu übersehen. Unser Oberst hatte aber seine eigenen Vorstellungen, wie ein Schnurrbart auszusehen habe. Gleich am ersten Tag stellte er uns junge Soldaten in Reih und Glied und verkündete, er würde nur richtige Schnurrbärte akzeptieren und keine Schamhaare im Gesicht. Als Maß des Richtigen wies er auf seinen eigenen Schnurrbart, der mehr nach einer Waffe aussah, die außerdem ständig in Bewegung war. Wenn der Oberst sich aufregte, zog sich das Ding nach oben. Im entspannten Zustand konnte er sich seinen Schnurrbart wahrscheinlich um die Ohren legen.

Die meisten Kameraden rasierten sich ihre Bärte sofort nach dieser Warnung ab, um Ärger zu vermeiden. Ich ließ meinen dran. Eine Zeit lang konnte ich als einziger Schnurrbartträger unserer Einheit punkten. Leider war diese Zeit nur kurz, ungefähr zwölf Stunden, dann wurde ich vom Oberst angehalten und mit einer inkorrekten Frage traktiert: »Warum haben Sie Scheiße im Gesicht, Soldat?« Ich pochte auf meine Rechte, verwies auf das Foto im Militärausweis, aber alles umsonst. Mein Schnurrbart und ich, wir mussten uns trennen.

Erst im zweiten Jahr, als Altgedienter, durfte ich die Witze des Obersts ignorieren. Ich ließ mir wieder einen Schnurrbart wachsen, der immer größer wurde. Ich probierte unterschiedliche Formen aus. Nach Deutschland kam ich dann mit einem Schnurrbart à la Frank Zappa, bei dem man die Spitzen wahlweise nach oben oder nach unten zwirbeln konnte. Hier wurde ich mit einer neuen Realität konfrontiert, in der ein Schnurrbart nicht für Männlichkeit, sondern für Rückständigkeit steht. Ich war nur von Glattgesichtern umgeben. Die meisten Schnurrbartträger in Deutschland sind entweder türkische Imbissbudenbesitzer oder freakige Schaffner oder Günter Grass.

Ein Freund von mir stellte einmal die These auf, der Schnurrbart sei antidemokratisch, eine Mode in Diktaturen. »Schau dich doch mal um, wo die meisten Schnurrbartträger herkommen«, meinte er. »Iran, Irak, Russland ...«. Ich konterte mit den schnurrbartlosen Regimen Kambodscha und Nordkorea. Zuletzt schlossen wir eine Wette ab. Genau eine Stunde lang spazierten wir durch Berlin, auf der Suche nach einem deutschen demokratischen Schnurrbartträger. Sollten wir nur einem einzigen begegnen, versprach mir mein Freund, würde er sich auch sofort einen Schnurrbart wachsen lassen. Andernfalls müsste ich meine zwei abrasieren. Im Nachhinein glaube ich, ich hätte leicht gewinnen können, wären wir nicht ausgerechnet durch Kreuzberg gegangen.

Betrug als Muster der zwischen-
menschlichen Beziehung

In jungen Jahren lassen sich Jungs noch gern von kri-
minellen Abenteuern begeistern. Wenn unsere Schulklasse ins Kino ging, waren fast immer die bösen
Buben unsere Helden. Kein Wunder, denn sie bekamen auch jedes Mal am meisten ab. Die Verbrecher
waren die Getriebenen, ständig auf der Flucht vor
den Guten sprangen sie im Kugelhagel über Dächer
und kamen meistens gegen Ende um. Sie waren geschickt, rücksichtslos und clever, hatten aber trotzdem keine Chance – weil die Regie es so wollte. Ich
hatte jedoch früh meine Begeisterung für alle Kri-

minellen verloren, nachdem zwei Jungs aus meiner Klasse wegen Diebstahl im Jugendknast gelandet waren. Damals erlosch die Romantik des Verbrechens für mich, mit Ausnahme von Betrug vielleicht, der menschlichsten aller Untaten.

Anders als bei anderen Verbrechen haben bei Betrügereien auch die Opfer ein bisschen Spaß. Betrüger sind oftmals nett und sympathisch, das gehört einfach zu ihrem Beruf. Kein Mensch wird einem unsympathischen Betrüger sein Geld aushändigen. Während ein Raubüberfall auf rohe Gewalt setzt, ein Diebstahl auf Fingerfertigkeit und Erpressung auf Quälerei, lässt ein Betrug seinem vermeintlichen Opfer immer die Wahl: an ihn zu glauben oder nicht. Ohne einen freiwilligen Einsatz seitens des Betrogenen kann kein Betrug zustande kommen. Nicht umsonst speist er sich aus den besten menschlichen Eigenschaften in Vertrauen, Nächstenliebe, die Bereitschaft zu helfen oder auch die kindliche Fähigkeit, an Wunder zu glauben wie die magische Vermehrung von Reichtum, die fantastische Wirkung geheimnisvoller Kräfte – letztendlich Zauberei. Im Grunde funktioniert ein Betrug wie das menschliche Leben, ein Versprechen, das nie vollständig eingelöst wird. »Ich aber lasse mich gerne betrügen, um mich nicht vor Betrügern schützen zu müssen«, hat Nietzsche einmal gesagt, und viele würden ihm darin zustimmen. Außerdem hat der klassische Betrug seine kriminelle Form längst verloren und ist salonfähig geworden. Ob Medien oder Politik, Medizin oder Religion, sie alle setzten auf Versprechen, die nie eingelöst werden.

Doch richtig Spaß macht nur die klassische Variante – freundlich, persönlich, charmant. Mehrere Tage lang lief ein junger Mann auf der Schönhauser Allee hin und her, sprach uns sehr schüchtern an, redete dann aber lange und leidenschaftlich: Es sei ihm furchtbar peinlich, fremde Leute mit seinen Problemen zu belästigen, aber er habe keine andere Wahl. Er sei aus Hannover nach Berlin gereist und hier von seinem besten Freund beraubt worden. Als ehrlicher Mensch würde er sofort zu Fuß nach Hannover zurückgehen, wenn wir ihm sagen würden, in welcher Richtung ungefähr Hannover liege. Er fühle sich von Berlin total überfordert und sei am Ende seiner Kräfte angelangt. Wir gaben ihm etwas Geld für die Rückfahrkarte. Zwei Tage später lief er noch immer auf der Schönhauser Allee herum und erzählte seine Geschichte. Das kam uns unehrlich und frech vor. Nicht einmal die Straßenseite hatte er gewechselt!

»Hey, wir haben dir doch schon die Rückfahrkarte spendiert!«, rief ich.

»Seien Sie bitte still, ich kann es nicht mehr hören!« Unser kleiner Betrüger fasste sich mit beiden Händen an den Kopf. »Ich glaube, ich weiß, was Sie mir sagen wollen! Sie meinen, ich war schon mal hier? Und wissen Sie, was richtig verrückt ist? Sie sind nicht der Erste, der mich darauf aufmerksam macht!«

Er war auch nicht der Erste, der uns mit dieser Masche anhaute. Vor einem Jahr hatten wir bereits einem Mädchen in Sankt Petersburg eine Zugfahrkarte gekauft. Sie kostete kaum Geld und hat uns nicht groß belastet. Das Mädchen, das geweint hatte wie drei Krokodile, wollte danach unbedingt unsere Adresse, um uns so schnell wie möglich das Geld zurückzuerstatten.

»Brauchst du nicht«, winkte ich ab. Sie bestand trotzdem darauf. Tatsächlich bekamen wir ein Jahr später zu Silvester einen dicken Briefumschlag. Darin war jedoch nur eine Postkarte: »Ich denke an euch, ich liebe euch«, stand da. Das fanden wir nett, so betreut man seine Kunden.

In der gleichen Silvesternacht wurde ich gegen drei Uhr nachts von meinem besten Freund angerufen. Er saß in einem Restaurant irgendwo in Hamburg, wo er mit mehreren Gästen zusammen feierte, und klang ziemlich verwirrt. Ein freundlicher Mann, als

Kellner verkleidet, hatte ihn freundlich gefragt, ob alles geschmeckt habe und ob er schon mal abkassieren könne, weil seine Schicht zu Ende sei. Nachdem mein Freund bezahlt hatte, kam der echte Kellner und präsentierte ihm die Rechnung.

Der erste Betrug meines Lebens ist mir tief in Erinnerung geblieben. Eines Morgens stand ein Lkw vor dem einzigen Klamottenladen unseres Bezirks, der nie was anzubieten hatte und zu allem Überfluss auch noch »Jugendmode« hieß. Auf dem Lkw hingen als Muster drei italienische Jeans verschiedener Größe. Zwei Männer und eine Frau boten den Leuten die Jeans zum Kauf an, sie hätten allerdings nur dreihundert davon, eine limitierte Lieferung also. Jeder, der bezahlte, bekam eine Quittung mit einer Nummer, mit der er seine Jeans ab elf Uhr, ohne sich in eine Warteschlange einreihen zu müssen, im Laden bekommen konnte. Es kam zu Unruhen, viele regten sich auf, dass sie möglicherweise bereits zu spät dran waren. Ein Polizist tauchte auf, um die Schlange vor dem Lkw zu organisieren. Um fünf vor elf war die limitierte Auflage ausverkauft, und der Lkw verschwand. Kurz darauf öffnete der Laden und wurde sofort von den Leuten gestürmt – aber dort gab es weit und breit keine Jeans.

Das erinnert mich an einen anderen Fall. An einer

deutschen Autobahn sprach uns einmal ein italienisch aussehender Mann an einer Tankstelle an. Er sei Modedesigner, wäre gerade auf einer Messe gewesen und hätte seine Kreditkarte verloren. Nun habe er nicht mehr genug Bargeld, um das Benzin bis nach Italien zu bezahlen. Er bot uns an, ihm seine Ausstellungsstücke abzukaufen: Grüne Lederjacken, die normalerweise eintausend Euro kosten würden, wollte er für ein paar hundert abgeben. Aus Solidarität mit Nietzsche kauften wir ihm zwei ab. Die Jacken waren zwar aus Lederimitat, aber eigentlich ganz in Ordnung. Mit glühenden Augen fuhr er weg und vergaß sogar zu tanken.

In Russland war der populärste Betrug Anfang der Neunzigerjahre der sogenannte Straßenfund: Plötzlich sah ein Fußgänger eine dicke Geldbörse einfach so auf der Straße liegen. Er griff danach, zählte das Geld und freute sich. Nur war aber immer ein anderer Fußgänger in der Nähe, der die Geldbörse ebenfalls gesehen hatte. Sie teilten das Geld gerecht unter sich auf, der andere verschwand, aber sofort tauchte an seiner Stelle der angebliche Besitzer des Geldbeutels auf und wollte ihn mit dem ganzen Inhalt zurückhaben. Dieser Trick war in Russland bald so verbreitet, dass die Menschen anfingen, auf dem Boden liegende Geldbörsen mit ihren Stiefeln wegzukicken oder die vermeintlichen Besitzer zu schlagen, denn sie fühlten sich in ihrer Betrugserwartung enttäuscht.

Die neuen Varianten wurden deswegen immer komplizierter. Letzten September hatte ich, ohne etwas dafür zu tun, einen teuren Fernseher gewonnen. Eine mollige, sehr energische Frau hielt mich am Ärmel fest, drückte mir einen Zettel in die Hand und schrie: »Gratuliere! Sie haben gerade in der kostenlosen Lotterie unserer Firma den ersten Preis gewonnen! Einen Sony-Fernseher mit Plasmabildschirm!«

Ich war sehr gerührt und stammelte: »Aber ich habe doch gar nichts gemacht.« Ich las den Loszettel. Ein Plasmabildschirm, na, so was.

»Den brauche ich eigentlich nicht«, sagte ich.

»Macht nichts, Sie können Ihren Gewinn auch in bar mitnehmen, ich habe alles hier in der Tasche, tausendzweihundert Dollar, kommen Sie doch mit«, bat mich die Frau.

Für die Aushändigung der Gewinne hat sich die Fernsehfirma einen merkwürdigen Ort ausgesucht, einen freien Platz hinter einer leer stehenden Imbissbude. Dort warteten bereits einige Kollegen der Frau.

»Gott bin ich froh, endlich Feierabend zu haben«, sagte die Lottofee zu mir. »Sie und diese junge Frau da sind nämlich die letzten Gewinner heute. Jetzt bekommen Sie das Geld von mir, und das war's für heute.«

»Toll!«, sagte ich und kicherte unvermittelt.

Die andere Gewinnerin, eine Blondine in teurem Pelz, sah nicht besonders glücklich aus. Sie rauchte hektisch. »Können wir uns bitte beeilen«, bat sie die Lottofrau, »ich muss zum Bahnhof, mein Zug geht in einer Stunde.«

»Einen Moment noch«, sagte die Lottofee und fragte mich, ob ich auch in Eile wäre.

»Nein, ich habe Zeit«, beruhigte ich sie. Die Lottofee machte ihren Koffer auf, darin lag ein Umschlag mit dem Gewinn, aber nur einer.

»O Mann«, seufzte die Lottofee, »das kann doch nicht wahr sein, ich habe mich verzählt. Ich habe nur noch einen Gewinn für heute übrig und zwei Gewinner. Was machen wir jetzt?«

Ich schlug vor, den Gewinn einfach zu teilen.

»Niemals!«, sagte die Blondine. »Ich will entweder alles oder nichts. Mein Zug geht in einer Stunde.«

Alle schwiegen nachdenklich. Die Situation schien in eine Sackgasse geraten zu sein.

»Wir wetten einfach«, sagte daraufhin die Blondine, »wer mehr Geld auf den Gewinn setzt, der bekommt alles. Ich setze dreihundert Dollar – okay?« Sie holte das Geld aus ihrer Tasche.

»Setzen Sie auch, setzen Sie«, schubsten mich die Kollegen der Lottofee. »Sie hat bestimmt nicht mehr, diese Tussi.«

»Wir schaffen es«, flüsterte mir die Lottofee ins Ohr. Sie waren alle auf meiner Seite.

»Bitte schneller, mein Zug geht in einer Stunde«, betonte die Blondine noch einmal mit trauriger Stimme, sie hatte sich anscheinend innerlich schon mit dem Verlust ihres Geldes abgefunden.

»Kommen Sie, machen Sie«, drängten mich meine Fans, es wurden von Sekunde zu Sekunde mehr. Ich fühlte mich ein wenig wie Nietzsche, nur hatte ich an dem Tag überhaupt kein Geld in der Tasche.

»Ach, wissen Sie was«, sagte ich zu der Blondine, »Sie sind jung und schön, Sie brauchen das Geld. Nehmen Sie alles, nehmen Sie, ich werde es überleben. Nehmen Sie den Gewinn, ich kann Ihnen noch eine Zigarette dazugeben.«

»Idiot!«, regten sich meine Fans auf. »Du hast alles versaut!«

Plötzlich waren alle weg, die Lottofee mit dem Geldkoffer, die Männer mit den Pelzmützen und die eilige Blondine. Ich stand allein hinter dem Imbiss mit einem nicht eingelösten Gewinnschein in der Hand – und fühlte mich irgendwie betrogen.

Die Lieder des vorigen Jahrhunderts

Eines der wenigen Lieder, die ich als Kind freiwillig auswendig lernte und noch heute singen kann, stammt aus einem alten sowjetischen Abenteuerfilm: *Die Kinder des Kapitän Grant*. Gedreht 1936 nach dem berühmten gleichnamigen Roman von Jules Verne, gehörte dieser Film zu den wenigen der damaligen Zeit, die sich nicht direkt mit der Problematik der sozialistischen Erziehung der Jugend auseinandersetzten. Es ging darin also ausnahmsweise nicht um Pioniere, die ihre Eltern an die Staatssicherheitsorgane verraten, sondern um zwei parteilose Kinder namens Robert und Mary, die auf der Suche nach ihrem verschollenen Vater, Kapitän Grant, sind. Tapfer kämpfen sie gegen gefährliche Stürme, unbekannte giftige Reptilien und aggressive Piraten; sie lernen Seeleute und Wissenschaftler kennen, steuern selbstständig ein Schiff und verhandeln mit furchterregenden Kannibalen – stets vom starken Wind des Ozeans umhergetrieben.

Jedes Mal, wenn dieser Film im Fernsehen lief, bedauerte ich am Ende sehr, dass die Kinder schließlich doch noch auf einer unbewohnten Insel ihren Vater entdeckten und damit quasi ihren ganzen Abenteuer-Bonus verspielten, der sie über alle Erwachsenen erhoben hatte. Die ganze Zeit waren sie mutig und diszipliniert, blieben in jeder Situation optimistisch und fanden tatsächlich immer einen Ausweg. Nebenbei sonnten sie sich, winkten aus dem Bildschirm dem Fernsehzuschauer zu und sangen brav immer wieder den Titelsong des Films, »Genosse Wind«:

> Sing uns dein Lied, alter Freund,
>> Genosse Wind!
> Genosse Wind! Genosse Wind!
> Du wehst durch jeden Winkel,
>> jedes Labyrinth,
> Und alle Lieder hörst du bestimmt!

Singe uns von den Wüsten
   und Bergen,
Von den Tiefen und Höhen der Erde,
Von Riffen und von Felsen,
Von großen Superhelden.
Dein freies und lustiges Lied!

Robert und Mary brauchten weiß Gott keinen Vater, sie brauchten Geschlechtsreife und ein eigenes Schiff. Sie konnten um die ganze Welt segeln, mit dem Genossen Wind immer auf der Überholspur – fantastisch! Doch der Vater wartete bereits seit Anfang des Films auf seiner Insel, trank durstig Kokosmilch und schaute nervös auf die Uhr. Die Begegnung mit ihm war dank Jules Verne unvermeidlich. Alle weiteren Abenteuer durften also nur noch mit ihm am Steuer stattfinden. Mich faszinierten damals die Kinder von Kapitän Grant, doch selbst wenn ich ein Segelschiff gehabt hätte, was vollkommen unmöglich war, und dazu noch einen Ozean, wäre ich mit meinem Schiff nicht weit gekommen. Wir lebten in einer sumpfigen Gegend, sogar unterhalb des Meeresspiegels, glaube ich. Genosse Wind war bei uns ein seltener Gast. Die wahren Abenteuer gibt es wohl nur im Fernsehen, so dachte ich zwanzig Jahre lang. Bis ich eines Tages selbst auf einer kaum bewohnten Insel mitten im

Ozean landete und mit dem Genossen Wind persönlich Bekanntschaft machte.

Das ganze Abenteuer war eigentlich als Urlaub für meine Familie geplant. Wie jedes Jahr wollten wir uns auch diesmal vor der dunklen Winterzeit in Berlin drücken und irgendwohin fliegen, wo das ganze Jahr über die Sonne schien. Nur von diesem verfluchten Massentourismus hatten wir die Nase endgültig voll. Unsere Idee diesmal war also, ein kleines Häuschen am Fuße eines nicht mehr funktionierenden Vulkans zu mieten, eine abgelegene Hütte ohne lästige Nachbarn, weitab von jeglicher Zivilisation. Nur Sonne, frische Luft, Strom und Warmwasseranschluss. Vielleicht ein oder zwei Supermärkte in der Nähe, ein paar Kneipen und Restaurants wären auch nicht schlecht, ansonsten aber nur Natur pur.

Unsere Suche im Internet nach einem passenden Angebot brachte keinen Erfolg: Alle abgelegenen Hütten mit Strom und Warmwasseranschluss waren entweder bereits ausgebucht oder unbezahlbar. Und entweder befanden sie sich nicht am Fuße des Vulkans, sondern in seinem Krater, oder sie sahen allzu abenteuerlich aus, wie Onkel Toms Strohhütte. Das war uns auch suspekt. Nach langem qualvollem Suchen, als wir beinahe schon bereit waren, in Berlin zu überwintern, stießen wir plötzlich auf unsere Traumhütte: abgelegen, am Fuße eines Vulkans, weit von jeglicher Zivilisation entfernt, aber nahe an einem Flughafen und trotzdem noch zu mieten. Auf dem Bildschirm sah sie nicht besonders schick aus. Es war ein kleines Haus mit weißen Wänden und rotem Dach, anspruchslos und niedlich. Genau das, was wir gesucht hatten. Neben dem Bild stand eine kurze Ortsbeschreibung: Die Gegend sei wegen eines ständigen starken Nord-West-Passats ein echtes Paradies für Windsurfer. Na und?, dachten wir leichtsinnig. Wenn es für die Windsurfer gut ist, warum soll es dann nicht auch für normale Menschen gut sein?

Die wahre Bedeutung des Nord-West-Passats und seine Auswirkungen auf unseren Urlaub haben wir leider erst sehr spät erkannt, als wir bereits mit unseren Siebensachen am Fuß des Vulkans standen. Es war exakt der lustige Genosse Wind aus dem Jugendfilm: Er stellte uns die Haare senkrecht auf dem Kopf auf, riss einem die Zigaretten aus dem Mund und schmiss mit Sand, den er erst zu kleinen, akkuraten Tornados in der Luft zusammenwickelte und dann über uns herabfallen ließ. Er pfiff uns die ganze Zeit sein unverständliches Lied in die Ohren. Man konnte nur gebeugt gegen den Wind laufen. Mit dem Passat im Rücken verwandelte sich dagegen jeder Fußgänger in einen Schnellläufer. Mit einer geradezu überirdischen Leichtigkeit konnte man in zwanzig Schritten die ganze Bucht durchqueren.

Langsam erforschten wir die Gegend am Fuße des Vulkans. Nachdem wir unsere Sachen ausgepackt hatten, gingen wir zum einzigen Supermarkt und blieben am Ufer des Ozeans stehen, umweht vom pfiffigen Genossen.

»Wo sind hier eigentlich die verdammten Windsurfer, ich sehe keinen einzigen!«, schrie mir meine Frau ins Ohr.

»Wahrscheinlich bewegen sie sich zu schnell, um für das menschliche Auge noch sichtbar zu sein, oder sie surfen unter Wasser«, schrie ich zurück.

Unsere abgelegene Hütte sah auch in Wirklichkeit genauso aus wie im Internet. Links und rechts von ihr standen hundert andere abgelegene Hütten, die man auf den kleinen Internet-Bildern natürlich nicht gesehen hatte. Die meisten waren von älteren Menschen aus Deutschland bewohnt, die ihren Lebensabend an einem schönen, ruhigen Ort verbringen wollten. Die Parkbänke ihrer Heimatorte waren ihnen zu unbequem. Sie alle hatten wahrscheinlich die Bedeutung des Nord-West-Passats unterschätzt und wurden so für immer seine Geiseln. Die meisten unserer Nachbarn waren Omas mit Katzen, die so gut wie nie ihre Hütten verließen und nur durch die Fenster nach draußen guckten. Vielleicht waren auch ein paar pensionierte Windsurfer dabei. Wenn sie sich doch einmal auf die Straße wagten, bewegten sie sich oft rückwärts, mit dem Hintern zuerst. Sie bildeten sich ein, auf diese Weise dem Wind entwischen zu können.

Die ersten Tage ging uns der Wind fürchterlich auf die Nerven. Man konnte draußen nicht einmal eine Zigarette in Ruhe rauchen. Alles flog sofort weg – die Asche, der Rauch, der Aschenbecher. Dann, nach einer Weile, entspannten wir uns und sangen einander immer wieder den Titelsong aus dem Film *Die Kinder des Kapitän Grant* vor: »Sing uns dein Lied, alter Freund, Genosse Wind …« Der Genosse gab sich Mühe.

Gleich am ersten Tag lernten wir am Ufer eine Familie aus Brandenburg kennen, die sich genau wie wir nach Einsamkeit und Abgelegenheit gesehnt und ebenfalls eine Hütte am Vulkan gemietet hatte. Wir freuten uns außerordentlich, sie getroffen zu haben, als wäre sie unser Kapitän Grant, als hätten wir die ganze Reise nur unternommen, um sie zu finden. Rainer, das Oberhaupt der Familie, war ein Mann der Tat und langweilte sich furchtbar auf der Insel. Er zählte die Tage und erzählte uns, wie schön sie es bei sich in Finsterwalde hätten. Zu Hause hatte er einen kleinen Kunststoffverarbeitungsbetrieb, dort führte er das spannende Leben eines Geschäftsmannes, konnte auf Dienstreisen gehen, Aufträge vergeben und Leute einstellen oder feuern. Hier, am Fuße des Vulkans, fühlte er sich wie angekettet. Innerhalb weniger Tage hatte Rainer die gesamte Flora und Fauna der Insel studiert, keine Kakteenblüte, kein Kleinkrebs entging seiner Aufmerksamkeit. Jeder Winkel dieser kargen Landschaft war ihm vertraut, von jedem Lavastein konnte er genau sagen, wann genau, unter welchen Umständen und warum überhaupt er vom Vulkan ausgespuckt worden war. Die Geschichte dieser Insel ist voller Geheimnisse, erzählte er uns. Trotzdem hätte Rainer sie mit all ihren Geheimnissen und Geschichten auf der Stelle in Richtung Brandenburg verlassen und weiter Kunststoff verarbeitet, hätte seine Familie ihn nicht am Fuße des Vulkans festgehalten. Sie bestand zu Recht auf Urlaub.

Abends in der Dunkelheit ließ der Passat manchmal ein wenig nach, dann saßen Rainer und ich auf der Veranda und philosophierten bei einem Glas Rotwein. Unsere Frauen schufteten währenddessen an einem unendlichen Kreuzworträtsel für verwirrte Quiz-Freaks.

»Alles um uns herum ist Kunststoff«, philosophierte Rainer. »Ob Waschmaschinen, Mülleimer, Autos, alles Kunststoff. Für alles wird eine spezielle Form angefertigt, in die dann der flüssige Kunststoff gegossen wird. An jedem Ding kann ich die Angusspunkte finden. Wenn aber Materie nicht in eine vorgefertigte Form gegossen wird, sondern einfach frei überall hinläuft, dann entstehen solche Vulkaninseln wie dieser Kotzbrocken hier.«

»Eulenähnlicher Papagei? Fünf Buchstaben mit j am Ende?«, riefen uns die Frauen zu. »Mexikanische Kakteenmotte? Der Mädchenname der ersten Frau von Gaddafi?«

»Was denkst du, warum hier nur Omas leben? Wo sind die ganzen Opas hin?«, philosophierte Rainer weiter. »Doch nicht etwa vom Winde verweht? Von wegen! Die Männer halten es mit ihnen einfach nicht aus. Und kaum gibt der Opa den Löffel ab, schon besorgt sich Oma einen Kater. Er geht nicht fremd, säuft nicht und hört sich jeden Blödsinn an. Nach zwei Wochen merkt die Oma, dass sie ihren Kater viel besser verstehen kann als ihren Opa zu Lebzeiten.«

Nebenberuflich war mein neuer Bekannter Erfinder. So hatte er unter anderem einen perfekten Flaschenöffner aus Kunststoff erfunden. Man brauchte das Ding nur auf die Flasche zu setzen, und schon war sie offen. Der Kronkorken blieb dabei an einem eingebauten Magnet im Flaschenöffner hängen. Rainer erzählte, dass ihm diese Erfindung nicht leicht gefallen sei. Er musste unzählige Kisten Bier öffnen, bis der Prototyp fertig war. Er dachte bereits über eine Serienproduktion nach, doch bis dahin war es noch ein langer Weg. Wir stellten von Wein auf Bier um. Abend für Abend testeten wir dann, wie robust seine Erfindung war.

»Eine apfelähnliche Frucht? Ein giftiger Frosch mit drei Buchstaben? Eine Halbinsel in Japan?«, hörten wir aus dem Haus.

»Eine Halbinsel? Japan besteht doch nur aus Inseln!«, sagte ich zweifelnd.

Rainer dagegen wusste auf jede Frage die richtige Antwort. Zu schade, dass sie drei Tage früher als wir zurückfliegen mussten. Fünf der Flaschenöffner ließen sie uns als Andenken an unsere gemeinsamen Abende am Fuße des Vulkans zurück. Der Rest der Zeit verging erneut im Kampf gegen den Wind. Als wir uns auf den Rückweg zum Flughafen machten, wehte der Genosse genauso stark wie am Tag unserer Ankunft. Er fegte die Straßen, kämmte den Katzen das Fell und ließ die Omas durch die Luft fliegen. Noch lange danach hatte ich in den Ohren sein ewiges Lied.

Fußball im vorigen Jahrhundert

Eine merkwürdige Stimmung legte sich in den Achtzigerjahren über das große Land. Alles erstarrte und wartete auf irgendetwas. Auch die Regierenden bewegten sich während ihrer öffentlichen Auftritte an den großen Feiertagen nur sehr vorsichtig auf dem Lenin-Mausoleum. Sie wurden aufmerksam von der Bevölkerung beobachtet, und man schloss Wetten ab, wer von diesen greisen Mausoleumswärtern als Erster den Löffel abgeben würde. In den Zeitungen wurde die Kritik am Westen zurückhaltender, sie versuchten, überhaupt über niemanden mehr Schlechtes zu schreiben, denn man wusste nicht, was kommen würde.

In dieser Stimmung gingen sogar die Olympischen Spiele 1980 ziemlich unter, obwohl man sie hervorragend zu Propaganda-Zwecken hätte nutzen können. Einige westliche Länder hatten diese Olympiade sabotiert, andere nicht, aber die sowjetischen Sportler badeten dennoch beinahe in allen Sportarten in Gold. Man muss dazu sagen, dass der sowjetische Bürger von Natur aus ein begeisterter Sportler war. Seine nicht geringe Freizeit versuchte er sich liebevoll mit Sport zu gestalten. An Auswahl mangelte es nicht. Meine Mutter zum Beispiel verfolgte Eiskunstlauf sehr intensiv im Fernsehen, sie kannte alle Läuferinnen und Läufer mit Vor-, Vater- und Zunamen und wusste genau, wer von ihnen wann und unter welchen Umständen gestolpert war. Mein Vater machte anfangs in seinem Betrieb bei fast allen Leichtathletikwettbewerben mit, sogar beim Hürdenlaufen und beim Hammerwerfen. Nach einigen Stürzen und Verletzungen beschränkte er sich jedoch aufs Angeln, während sein Direktor sich der Taubenzucht zuwandte.

Während der Vorbereitung der Olympischen Spiele wurde in Moskau der Bau einer Reihe neuer Sportanlagen angeordnet. Viele dieser Objekte wurden jedoch nie zu Ende geführt, so dass überall in der Stadt tiefe Baugruben zurückblieben, die sich schnell mit

Wasser füllten. Sofort bildeten sich darin primitive Lebensformen, die immer komplexer wurden und schon bald quaken und springen konnten und Seemöwen anzogen, die ihrerseits kleine Fische in die Baugruben brachten. So besaßen wir plötzlich ein natürliches Fischbecken direkt vor unserer Haustür. Nicht nur mein Vater, beinahe alle Männer in der Nachbarschaft widmeten sich daraufhin dem Sportangeln.

Manchmal, wenn es mehrere Tage nicht geregnet hatte und das Wasser in der Baugrube absank, wurden aus der Fischjagd Leichtathletikkämpfe. In der Baugrube herrschte dann das reinste Chaos. Frösche, Möwen, Fische und mein Vater mit seinen Freunden sprangen auf dem matschigen Boden des Sees herum und versuchten, einander mit allen Mitteln zu fangen beziehungsweise zu entkommen. Man hörte es quaken, gackern und rufen: »Gleich hab ich dich!«

Die Fische in der Baugrube waren klein und ungenießbar, aber das interessierte niemanden, es ging schließlich um den Sport. Mehrmals lud mich mein Vater ein mitzukommen, doch ich hatte damals ganz andere Interessen. Ich träumte von fremden Ländern, las gern sentimentale Liebesgedichte und versuchte, selber welche zu schreiben. Am Wochenende besuchte ich oft die Dichterabende in einem Kulturhaus in der Nähe des weißrussischen Bahnhofs. Dort lasen alte

Poeten ihre Gedichte vor einem kleinen Publikum vor. Der Hauptdichter war ein bärtiger Typ, der immer eine schwarze Sonnenbrille trug, etwas abseits von den anderen saß und sehr eindringlich war:

> Es regnet wieder.
> Ich und die Spinne sitzen vor dem nassen
>   Fenster
> Und schauen in die Ferne.
> Dort aus dem Nebel taucht das gelobte
>   Land auf.
> Ich lächle die Spinne an.
> Na, Kleine, fliegen wir dorthin?
> Du weißt doch, sagt die Spinne,
> Dass ich nicht fliegen kann – nur krabbeln.
> Ach so, na dann – krabbel weiter.

Ich fühlte mich wie diese Spinne, auf Ewigkeit dazu verdammt, um den weißrussischen Bahnhof herumzukrabbeln.

In diesem sportlichen Jahr 1980 geschah aber in Moskau etwas, was diese Stadt vorher nicht gekannt hatte. Ende November versperrten etwa tausend Fans des Fußballklubs Spartak den Ausgang des Stadions Dynamo, in dem die Mannschaft von Dynamo Moskau gerade gegen den Armeeklub ZSKA gespielt hatte, und prügelten die herausströmenden Besucher nieder. Zuerst die Dynamo-Fans, dann die ZSKA-Fans und anschließend auch noch die herbeigeeilte Miliz. Sie skandierten dabei: »Spartak Champion«, obwohl Spartak an dem Tag gar nicht gespielt hatte. Ein neues Phänomen kam dadurch in das sowjetische Leben, eine Freizeitbeschäftigung und Sportart zugleich, die in ihrer Brutalität alle anderen übertraf – der Hooliganismus.

Die rot-weißen von Spartak waren überall präsent. Dynamo und ZSKA besaßen als Mannschaften des Innen- beziehungsweise des Verteidigungsministeriums ihre eigenen Stadien, Spartak als eine von den Gewerkschaften ins Leben gerufene Volksmannschaft, war dagegen lange Zeit heimatlos. Während sich die meisten Dynamo- und ZSKA-Fans also in der Nähe ihrer Stadien aufhielten, konnte man auf die Spartak-Fans überall stoßen. Ihr Klub spielte in der Unionsliga, der sympathische Torwart Renat Dasaew war ihr Kapitän, der seine launische Mannschaft oft im letzten Moment rettete. Spartak hatte einen lebensfrohen Spielstil. Seine Spieler integrierten gerne Elemente aus anderen Sportarten in ihre Aktionen – im Grunde alles vom Hürdenlaufen übers Kickboxen bis zum Hammerwerfen, oft hart an der Grenze des Erlaubten, dafür aber mit guten Ergebnissen. Anders als bei den anderen Klubs gab es bei Spartak nie einen Grund, ihn nicht zu mögen. Die Fans des Vereins waren die lustigsten und kommunikativsten auf den Tribünen des Landes. Gern besuchten sie die Spiele der anderen Fußballvereine, um deren Fans in einer fröhlichen, unkonventionellen Atmosphäre kennenzulernen. Mit Erstaunen beobachteten die Omas und Opas diese neue rot-weiße Gefahr, die gut organisiert durch die Städte zog und unermüdlich skandierte: »Spar-tak! Cham-pi-on!«

»Früher gab es so etwas nicht«, schüttelten die Alten den Kopf. Wenn sie aber von der Kolonne angesprochen wurden: »Na wie geht's, Oma?«, antworteten sie brav: »Geht-Geht! Gut-Gut-Gut!«

Die Moskauer Miliz war auf diese neue Freizeitbeschäftigung der Jugend nicht vorbereitet, denn in einem hatten die Alten recht: Obwohl die meisten Sportklubs gleich nach der Großen Oktoberrevolution in den Zwanzigerjahren gegründet worden waren, hatte es so etwas wie gewaltbereite Fußballfans früher nicht gegeben. So etwas kannte man bisher nur aus der kapitalistischen Welt der Unterdrückung und Sklaverei – irgendwo im nebligen Liverpool oder Manchester schlugen die ums Leben betrogenen Hooligans einander ständig im Suff die Köpfe ein. Was hätten sie auch sonst tun sollen in dieser vom schnöden Profitdenken regierten Welt, in der mit Fußballern wie mit Sklaven für Baumwollplantagen gehandelt wurde?

Bei uns dagegen, im entwickelten Sozialismus, sahen die Zuschauertribünen anders aus – freundlich, sauber und gepflegt. Ein Fußballspiel wurde von Familienvätern mit Frau und Kind besucht. Wenn Lokomotive gegen Traktor spielte, saßen die Arbeiter beider Betriebe fröhlich nebeneinander, und wenn der eine »Tor!« schrie, klatschte der andere höflich mit, um seinen Respekt vor der sportlichen Leistung der gegnerischen Mannschaft zu demonstrieren, und haute dem Nachbarn nicht gleich die Bierflasche über den Kopf. Man hoffte, dass die eigene Mannschaft beim nächsten Mal besser spielen würde und gönnte sich höchstens ein zweites Bier.

So ging es jahrzehntelang, bis die Achtzigerjahre mit ihren Fußballschlachten und Liverpooler Verhältnissen kamen. Da brauchte man anscheinend ein Ventil, einen Ort, an dem man sich aufregen konnte, ohne gleich als Dissident dazustehen. Weiß-blaue, rot-blaue und weiß-rote Kolonnen marschierten fortan durch die Städte und Dörfer. 1986 fuhren dreihundert rot-weiß gekleidete Jugendliche nach Kiew und verscheuchten dreitausend Dynamo-Kiew-Fans aus dem Stadion. Danach folgten Eriwan, Dnepropetrowsk und Vilnius. Die Fans der anderen Mannschaften fühlten sich nur kurz überrumpelt, danach machten sie es den Spartak-Fans schnell nach.

Als 1991 die Sowjetunion auseinanderkrachte, gab es auf einmal keine Unionsliga mehr, und die Sportvereine mussten sich neue Überlebenskonzepte ausdenken. Die Wirtschaftskrise riss den Fußball mit sich. Viele Spieler, die etwas taugten, verschwanden im Ausland, die Fanentwicklung stagnierte. Es wurde wieder still in den Stadien, man glaubte fast an die Rückkehr des freundlichen Familienvaters mit dem Bier. Aber Fußball ist unsterblich. Schon einige Jahre später fingen die frischgebackenen unabhängigen Republiken an, wieder Geld in Sportvereine zu investieren.

Ab 1994 erlebte auch die Fußballfanbewegung eine Renaissance. In der neuen wilden russischen Demokratie musste sich der Fan seine Ausrüstung nicht mehr selbst nähen oder in einer Untergrundwerkstatt am Stadtrand besorgen, sie wurde an allen Ecken und Unterführungen angeboten. Die Klubs kauften sich ihre guten Spieler zurück und liehen sich dazu noch ein paar Brasilianer aus, um den russischen Fußball etwas farbiger zu gestalten. Die Spartak-Fans bildeten nach Liverpooler Vorbild unterschiedliche Fraktionen: die »Verrückten Elefanten«, die »Slam-

Fleischer« oder die »Hardcore-Pioniere«. Wenn sie ihre Mannschaft nun zu einem Auswärtsspiel, zum Beispiel in die unabhängige Republik Ukraine oder die unabhängige Republik Weißrussland, begleiten, dann können die britischen Geistesbrüder ruhig eine Pause einlegen. Und die alten Leute in der Stadt machen sich wieder Sorgen um die Jugend.

»Dieser Wahnsinn hört wohl nie auf«, seufzen die Opas.

»Nie-Nie! Nie-Nie-Nie!«, bestätigen die Omas.

Literatur

Wie jeder andere Autor werde ich oft nach literarischen Vorbildern gefragt. Von welchen Büchern waren Sie in Ihrer Jugend besonders beeindruckt? Da denke ich dann immer an die Buchläden meiner Kindheit. Die Sowjetunion galt als Land der Leser und die russische Klassik – Tolstoi und Dostojewski – hat einen hohen Stellenwert in der Weltliteratur. Aber die Buchläden meiner Kindheit waren leer. Sie trugen große Namen wie »Der Sonnenaufgang« oder »Die Junge Garde«, waren groß und mit bunten Transparenten geschmückt: »Das Buch – die Quelle des Wissens« stand da, und »Ein Buch – das beste Geschenk«. Diese Läden hatten mindestens drei Abteilungen. In einer konnte man Kugelschreiber, Papier und Stifte kaufen und unter Umständen selbst was schreiben, in einer anderen lagen schicke Bildbände wie *Die dreifachen Helden der Sowjetunion*, *Gagarin – einer von uns* und *Pioniere – Partisanen*. In unserer Schule bekam jeder Streber nach Beendigung der zehnten Klasse das Fotoalbum *Die Schriftstellerin Maria Poleschajewa auf dem XXII. Parteitag der KPdSU* geschenkt. Es galt als Quelle des Wissens und als bestes Geschenk gleichzeitig. Man könnte sagen, diese Bände waren die Comichefte der Sowjetunion und die Schriftstellerin Maria Poleschajewa Superman und Batman in einer Person.

In jeder Buchhandlung gab es auch noch eine spezielle Abteilung für politische Literatur, die dicken Romane von Leonid Breschnew und dazu ein paar dünne Hefte von Lenin: *Was heißt Sowjetmacht?*, *Wie ist der sozialistische Wettbewerb zu organisieren* und *Der Linksradikalismus, die Kinderkrankheit des Kommunismus*. Jeder wusste, dass Lenin eigentlich viel mehr geschrieben hatte, sein vollständiges Werk zählte über fünfzig Bände, die aber wegen ihrer Widersprüchlichkeit verboten waren. Sein Nachlass wurde in diese kleinen Groschenhefte gepackt, die man eigentlich ruhigen Gewissens auch hätte verbieten können, denn kein Mensch hat sie jemals gekauft.

Die wichtigsten literarischen Werke der Vergangenheit und der Gegenwart wurden in unseren Literaturlehrbüchern kurz und knapp zusammengefasst. Sie mussten auswendig gelernt werden. In der fünften Klasse lernten wir den unsterblichen Puschkin:

> Ich sitze hinter Gittern
> Im feuchten Knast,
> Unfrei geborener
> Junger Spatz ...

Es klang immerhin besser als das Gedicht von Dschambul Dschabajew mit dem Titel »Das große Stalin-Gesetz«, das unsere Eltern in der Schule auswendig lernen mussten:

> Fliege, mein Lied, durch Dörfer und
>   Steppen,
> Höre das Volk die Stimme Dschambuls,
> Ich lobe das größte der Weltgesetze –
> Das Stalingesetz. Punkt.
>
> Gesetz, das die Freude ins Haus bringt,
> Gesetz, das die Ernte in Schwung zwingt,
> Gesetz, das uns Wissen gibt und Kraft,

Gesetz, das uns frei und glücklich
    macht…

In den Achtzigerjahren jedoch gab es viele Umwege, an die begehrenswertesten Bücher heranzukommen. Es gab zum Beispiel ein spezielles Programm – Bücher gegen Altpapier. Man bekam für zwanzig Kilo Altpapier die Möglichkeit, einen Roman von Maurice Druon oder *Angélique und der König* an einer Altpapier-Sammelstelle zu erwerben. Mit dieser *Angélique* ging man dann zu der sogenannten Tauschbörse des Buchliebhaberklubs, wo man sie mit ein wenig Glück gegen ein richtiges Buch tauschen konnte – von Bulgakow oder Charms zum Beispiel. Eine andere Möglichkeit bestand darin, auf dem Schwarzen Markt für viel Geld ein Abonnement für die zwölf Bände von Jack London zu kaufen und diese dann ebenfalls gegen richtige Bücher zu tauschen. Oder eben im Selbstverlag Bücher zu produzieren und sie zum Lesen weiterzugeben. Auf Russisch hieß das »Samisdat«.

Heute wird oft behauptet, der Samisdat sei eine Erfindung der Dissidenten gewesen, die gegen das System kämpften und auf der Schreibmaschine ihre Proklamationen vervielfältigten. In Wirklichkeit wurde im Land der Leser, die immer zu wenig zu lesen hatten, alles selbst verlegt, sogar *Angélique* und billigste

Science-Fiction-Romane. Diese per Hand angefertigten Bücher genossen sehr großen Respekt, wurden sorgfältig behandelt und weitergegeben. So bekam ich 1985 von meinem Arbeitskollegen den Orwell-Roman *Die Farm der Tiere* nur für eine Nacht und mit strengen Anweisungen, das Buch nicht ohne Handschuhe anzufassen. »Wehe, wenn nur ein einziger Bierfleck auf dem Papier landet, dann kriegst du nie wieder ein Buch von mir, dann bist du raus!«, warnte er mich. Außerdem durfte ich niemandem von dem Buch erzählen. Die Orwellsche Schweine-Revolution hat mich aber nicht sonderlich beeindruckt. Unter anderen Umständen hätte ich das Buch bestimmt nicht zu Ende gelesen, aber im Untergrund ist jedes Buch eine Offenbarung, wegen der Geheimnistuerei habe ich dann sogar *1984* gelesen.

Auf durchsichtigen Seiten lasen sich Richard Bach, Steven King und Percy Shelly in einer Nacht weg. Außerdem kamen durch den Samisdat neue Bekanntschaften zustande, fremde Menschen rückten plötzlich zusammen, weil sie durch ein Buchgeheimnis miteinander verbunden waren. So gewann man neue Freunde und fühlte sich einem engen Kreis der Wissenden zugehörig. Durch den Samisdat lernte ich die Geschichten anderer zu schätzen und selbst welche zu erzählen, ich lernte, dass man ein richtiges Buch niemals in der Buchhandlung, sondern nur aus der Hand eines Freundes bekommt. In der freien Welt, in der man jedes Buch per Internet zu sich nach Hause bestellen kann, lese ich zwar weiter, aber ohne den damaligen Enthusiasmus. Einige wenige Samisdat-Hefte von damals werden bei uns im Bücherregal sorgfältig gehütet. Die Tinte ist inzwischen fast gänzlich verblasst, was diese Bücher auf Ewigkeit zu einem unlösbaren Rätsel macht. Ein Außenstehender würde mittlerweile nicht einmal mehr den Titel entziffern können. Nur der ganz enge Familienkreis weiß, was auf diesen Blättern wirklich gedruckt ist: Ossip Mandelstam, *Der Stein*, Kurt Vonnegut, *Schlachthof 5 oder Der Kinderkreuzzug* und Wladimir Nabokov, *Die Gabe*.

Eisenbahn

Das Lied der BAM-Arbeiter:

> Lacht doch mal, Jungs!
> Unser Schicksal ist es,
> Zu bauen in der Tundra
> Die längste Eisenbahn;
> Die Berge wegzurotzen,
> Den Schneestürmen zu trotzen,
> Kurz gesagt –
> Wir bauen die BAM, BAM,
>   BAM...

Die Baikal-Amur-Magistrale, kurz BAM genannt, war und ist immer noch das größte Denkmal sozialistischer Planwirtschaft und mit dem popeligen Transrapid gar nicht zu vergleichen. Die erste Idee, vom Ural bis zum Pazifik eine Eisenbahnlinie zu bauen, wurde in Russland schon im neunzehnten Jahrhundert intensiv diskutiert. Es ging vor allem darum, Sibirien zu erschließen, ein großes und reiches, aber wenig bewohntes Stück Russland. Aber erst nach der Revolution, als überall im Land große Aufbruchsstimmung herrschte und nichts unmöglich schien, beschloss Stalin, mit dem Bau der BAM zu beginnen. Nach dem Motto »Lange Rede, kurzer Sinn« schickte er 1932 ohne weitere Umstände vierhunderttausend Gefangene in die Tundra. »Alle reden von der Zukunft, wir machen sie!«, sagte er damals, und so bekam das Projekt in den sowjetischen Zeitungen die Parole »Der Weg in die Zukunft«.

Bereits drei Jahre später, 1935, war die BAM zum ersten Mal fertig. Sie ging von dem Amur-Dorf Tinda an einem Punkt nahe der chinesischen Grenze, wo sie die transsibirische Eisenbahn kreuzte. An dieser Kreuzung wurde das Dorf Bam gegründet. Danach ging es aber immer weiter. Millionen Menschen haben an dieser Baustelle des Jahrhunderts mitgemischt: Gefangene, Komsomolzen, Enthusiasten und einfache

Arbeiterfamilien, die aus allen Republiken der Sowjetunion des Geldes wegen dorthin fuhren.

Einst als strategisches Double der transsibirischen Eisenbahn im Falle eines Krieges mit China geplant, bekam die BAM mit der Zeit immer neue Bedeutung. Je weiter die Gleise gingen, desto mehr verband man mit ihnen die sozialistische Eroberung der Welt. Die Magistrale sollte nicht einmal am Pazifischen Ozean scheitern, sondern weiter nach Sachalin und dann Hokkaido führen, über das japanische Meer und weiter nach Australien, über den Südpol und dann irgendwie wieder nach Sibirien zurück.

Spätestens 1990, nach der Perestroika, verlor die BAM ihre Bedeutung als Vorposten der sozialistischen Planwirtschaft. Sie wurde für unrentabel erklärt und die Arbeiten auf Eis gelegt. Seitdem streiten sich die Geister. Die einen meinen, die Magistrale sei immer noch nicht zu Ende gebaut, da die Gleise irgendwo in der Schneewüste enden, die anderen behaupten, die Magistrale sei schon mehrmals zu Ende gebaut worden und bleibe nach wie vor ein vielversprechendes Projekt für Investoren aus aller Welt. Beide Seiten scheinen in diesem Streit recht zu haben. Bei solchen globalen Bauvorhaben ist es nicht leicht festzustellen, wo und was das Ende ist. Die Erde ist nämlich rund.

Der größte Fehler beim Bau der BAM war, dass man sich zu sehr auf die Propaganda und die reine Trasse konzentrierte, also darauf, sich durch die Berge und Wälder zu schlagen und vor allem die Gleise immer weiter zu ziehen. Auf diese Weise wurde die Arbeit bis zum Pazifik geschafft. Selbst nachdem die Magistrale für unrentabel erklärt worden und viele Arbeitsbrigaden abgezogen waren, wurde am großen, hundertachtzig Meter langen Mauritunnel weitergearbeitet: einen halben Meter pro Woche, bis im Jahr 2002 der letzte goldene Bolzen in die Eisenbahnschwelle geschlagen wurde. Dabei blieb jedoch die Infrastruktur auf der Strecke. Man hätte noch Städte oder kleine Dörfer gründen, bevölkern, einrichten und regelmäßig Züge mit wichtigen Gütern in beide Richtungen fahren lassen müssen, damit die BAM auch wirklich lebte. Nun stehen bloß alle fünfhundert Kilometer riesige leere Bahnhöfe in der Tundra. An den Masten links und rechts der Trasse hängen nicht angeschlossene Kabel. Der Schienenverkehr ist nur an einigen Stellen möglich und sehr umständlich. Die meisten Bewohner an der Trasse sind längst abgehauen. Wer sich dieses Denkmal des Sozialismus anschauen will, muss sich beeilen: Vielleicht kann man schon morgen die Magistrale nur noch zu Fuß erreichen. Hier ein kleiner Reiseführer, zusammengestellt von einigen abenteuerlustigen Freunden, die regelmäßig ihre Ferien an der BAM verbringen:

Am besten fliegt man über Japan dorthin. Von dort aus dann mit dem Schiff bis zum Punkt Sowjetskaja-Gawan. Weiter geht es mit Güterzügen bis Tinda, der Hauptstadt der BAM. Das ist in sechs Tagen zu schaffen. Man kann auch von der anderen Seite kommen: mit dem Flugzeug nach Jakutsk, dann mit einer Fähre den Fluss Lena aufwärts nach Kunerma und weiter mit dem Zug über Severobaikalsk – Chani – Uktali bis Tinda. Zweimal am Tag hält dort der Zug. Auch diese Reise dauert etwa sechs Tage.

Die riesigen Bahnhöfe werden nachts geschlossen. Man kann aber in den Zügen übernachten. Es ist alles teurer als in Moskau. Man fährt am besten tagsüber, damit man auch etwas sehen kann. Von Tinda verkehrt einmal am Tag ein Passagierzug nach Komsomolsk – mit fünfzehn Kilometern pro Stunde, die ideale Geschwindigkeit, um die wilde BAM-Landschaft zu bewundern, die bereits in zig Romanen, Gedichten und Liedern verewigt wurde. Die Magistrale, an der siebzig Jahre lang gebaut wurde, die mehrmals mit Pomp eröffnet und sofort danach wieder vergessen, verachtet, verpönt wurde, die nicht funktioniert und doch irgendwie funktioniert. Ein grandioses Mahnmal des menschlichen Willens und seiner Möglichkeiten. Aber was soll's. Sie fahren ja ohnehin nicht hin. Auch in Russland wird immer weniger über die BAM nachgedacht, aber alle kennen das Lied, das zwei Jahrzehnte lang aus sämtlichen Radiogeräten des Landes dröhnte:

Die Hymne der BAM-Arbeiter:

> Lacht doch mal, Jungs!
> Unser Schicksal ist es,
> Zu bauen in der Tundra
> Die längste Eisenbahn;
> Die Berge wegzurotzen,
> Den Schneestürmen zu trotzen,
> Kurz gesagt –
> Wir bauen die BAM, BAM,
>   BAM...

Die Unterwäsche des
vorigen Jahrhunderts

Auf einem großen Werbeplakat für Frauenunterwäsche lächelte uns eine nackte Frau an.

»Wo ist hier die Unterwäsche?«, wunderte sich meine Mutter. »Sie ist absolut unsichtbar geworden, das war früher anders!«

»Das stimmt nicht«, entgegnete ich. »Vor vielen Jahren habe ich in der Sowjetunion noch radikalere Dessousmodelle gesehen.«

Ende der Achtzigerjahre, zu Perestroika-Zeiten, veränderte sich die wirtschaftliche Situation in Russland. Der starke Westwind brachte neue Konsumträume für die breite Masse der Bevölkerung. Der Staat, der allein über alle Produktionsmittel verfügte, gab ein wenig nach. Und plötzlich durfte jeder Bürger eine Kooperative gründen, also zu Hause irgendetwas Harmloses basteln und die Früchte seiner Arbeit verkaufen. Das hieß noch nicht »Business«, sondern ganz bescheiden »Eigeninitiative«. Für viele junge Leute, insbesondere Studenten, bot das Kooperativegesetz eine große Chance, und so kamen Waren auf den Markt, die für die staatliche Produktion unwichtig oder einfach zu idiotisch waren: wiederauffüllbare Feuerzeuge, Mickymaus-Aufkleber, russischer Kaugummi, T-Shirts und Einkaufstaschen mit ABBA-, Boney-M.-, Jim-Morrison- oder Mick-Jagger-Konterfei, außerdem erotische Postkarten und selbst gemachte Keramik. Die wichtigste Errungenschaft dieses damaligen Kooperativehandels war jedoch, dass sie das staatliche Monopol der Frauenunterwäscheproduktion und -distribution aufbrach.

Die Kritik an der sowjetischen Unterwäsche war jahrzehntelang ein Tabu gewesen. Man durfte über die Qualität von Schuhen oder Kleidern meckern, aber Unterwäsche konnte einfach nicht dick, warm und hässlich genug sein. Das Angebot war praktisch auf ein Modell beschränkt. Männerunterhosen waren entweder schwarz oder blau, aber immer knielang und aus Satin. Die Frauenhöschen waren alle weiß und aus Baumwolle. Praktisch, quadratisch und gut. Außerdem gab es noch Büstenhalter aus sowjetischem Atlasstoff mit einem Dutzend kleiner Häkchen, die immer entweder absprangen oder klemmten – eine Qual für jede intime zwischenmenschliche Beziehung.

Viele aufgeklärte junge Leute weigerten sich, sowjetische Unterwäsche zu tragen. Die Jungs boykottierten die knielangen Satinschlüpfer, hatten dafür aber keinen Ersatz und trugen deswegen oft gar keine Unterwäsche. Für Mädchen war es etwas komplizierter. Die meisten wandten sich an Spekulanten, die mangelhafte Westware anboten und dafür unglaubliche Preise verlangten. Trotzdem, als mein Freund Antip 1988 auf die Idee kam, zu Hause auf der siebzig Jahre alten *Singer*-Nähmaschine seiner Mutter Stringtangas aus Fallschirmseide zu produzieren und uns seinen Prototyp präsentierte, lachten wir ihn zuerst aus. Sein Werk bestand genau genommen aus einem Fallschirmseil, der Hintern blieb praktisch unbedeckt, nur vorne nähte Antip ein kleines Dreieck auf. Es sah zu frech, zu westlich, beinahe pornografisch aus. Keine anständige sowjetische Frau würde sich trauen, so etwas jemals anzuziehen, dachten wir.

Unsere Vermutungen erwiesen sich aber als vollkommen falsch. Antips Geschäft blühte in kürzester Zeit auf. Er belieferte mehrere Zeitungskioske in Moskau mit seinen Stringtangas und konnte davon jede Woche noch hundert mehr absetzen. Die Produktionskosten waren weniger als gering. Aus einem einzigen alten Fallschirm, den Antip aus den Lagerräumen des »Verbandes der freiwilligen Helfer der Zivilluftfahrt« stahl, machte er über tausend Slips. Antip verkaufte die Dinger nicht sehr teuer, er nahm lediglich zehn Rubel das Stück, trotzdem wurde er sehr schnell sehr reich und eitel noch dazu. Er fuhr nur noch mit dem Taxi, ging jeden Tag in die teuersten Restaurants und kannte bald seine alten Freunde nicht mehr. Doch sein süßes Leben war nicht von Dauer. Ein Jahr später erwachte der Staat aus seiner wirtschaftlichen Lethargie und wandte sich unter anderem der Unterwäscheproblematik zu. Millionen von billigen Frauenslips wurden in der Türkei eingekauft und füllten die Regale in den Kaufhäusern. Man konnte nun an jeder Ecke echte westliche Stringtangas kaufen. Antip blieb auf seiner Ware sitzen. Die letzten paar hundert Höschen verschenkte er an seine Bekannten und schulte wenig später zum Computerhändler um.

Derweil löste sich die Sowjetunion auf. Und die

hässliche alte sowjetische Frauenunterwäsche erlangte mit der Zeit Kultstatus. Nun wurde sie sogar noch zum Kunstobjekt. Als Wanderausstellung »Sowjetische Unterwäsche – Die Erinnerung des Körpers an die kommunistische Diktatur« tourt sie durch die Welt.

Meine Armeeunterhose

Kurz nach Weihnachten gingen wir mit den Kindern spazieren. Die Stadt wirkte verlassen, die jungen Menschen waren noch nicht von ihren Eltern zurückgekehrt, die alten waren wahrscheinlich noch mit der Verdauung ihrer Weihnachtsgans beschäftigt. Und unser größtes Kaufhaus erinnerte an ein Schlachtfeld. Als hätten sich hier zwei Armeen mit allem Greifbaren beschmissen, das meiste dann mitgenommen, etliches aber liegen gelassen. Wer hatte hier gewonnen? Und wer verloren? Diese Fragen bleiben bei solchen Konsumschlachten meist unbeantwortet. Wir inspizierten die Restwaren auf der Suche nach Brauchbarem.

»Ich hasse Rosa«, schimpfte Sebastian laut, »das ist eine Mädchenfarbe, wer das anzieht, ist kein Mann!«

Ich wusste bereits seit langem, dass die Jungs in seiner Grundschule ihr Geschlecht vor allem durch die Ablehnung der Mädchenfarbe Rosa definierten.

»Nun halt mal die Luft an, Junge«, sagte ich, insgeheim beeindruckt von so viel sozialer Kompetenz bei einem Neunjährigen. Ich wollte die Farbe Rosa in Schutz nehmen, aber anscheinend hatten die meisten Konsumenten Sebastians Ansicht geteilt und rosafarbene Sachen liegen lassen: rosa Jacken, rosa Pullover, rosa Socken. Auch für rosa Porzellan waren die Berliner offensichtlich nicht schwul genug. Und wessen beknackte Idee war es, die neue PlayStation »Nintendo DS Lite« in Rosa zu produzieren? Alle anderen Farben waren längst ausverkauft, nur die rosa PlayStations türmten sich in der Elektronikabteilung zu einem Berg. Mein Sohn hielt sich beide Hände vor den Mund und rollte pathetisch mit den Augen. So etwas macht er meist im Auto, wenn ihm schlecht wird oder wenn Oma ihn mit ihrer Lieblingstorte füttern will. In seiner Körpersprache bedeutet das: »Ich muss gleich kotzen.« Versuche nun einer, die Menschen zu verstehen. Zum einen diskutieren sie, ob blutige Computerspiele der Grund dafür sind, dass manche Schüler durchdrehen. Zum anderen produzieren sie eine Playstation in Rosa – eine klare Einladung zum Amoklauf.

Auch meine Tochter wollte die sehr preiswerte, weil dreimal im Preis heruntergesetzte, rosa Mütze nicht haben.

»Ich will etwas weniger Auffälliges«, meinte sie kenntnisreich.

»Wie wäre es zum Beispiel mit einem Hut, der unsichtbar macht?«, witzelte ich.

»O ja, den brauchen wir unbedingt, kauf uns einen Hut, der unsichtbar macht!«, schrien beide Kinder.

»Den hätte ich selbst gern«, konterte ich.

Wir schwiegen eine Weile und überlegten uns dann, was für Schweinereien man alles mit einem solchen Hut anstellen könnte. Man könnte damit jede Art von Ausgrenzung und Rassismus zunichtemachen, an einem Frauentag in die Sauna gehen zum Beispiel, dachte ich.

»Ich wäre im Judo praktisch unbesiegbar«, testete Sebastian neue Perspektiven aus. »Ich könnte sogar den Trainer verhauen.«

»Und ich könnte mich in die Sudoku-Fabrik einschleichen und alle Auflösungen für Mama abschreiben, damit sie sich nicht jeden Abend so abquält«, meinte Nicole.

Ich zwang die Kinder aus der Traumwelt zurück in die Realität. »Dieser Zauber hat noch niemandem geholfen«, klärte ich sie auf. »Als unsichtbarer Kämpfer kannst du beim Judo zwar nicht verlieren, aber auch nie gewinnen. Wer will schon einen unsichtbaren Sieger haben? Und bei Sudoku stehen die Auflösungen immer auf der letzten Seite des Heftes. Das darf ich euch wahrscheinlich nicht sagen, das ist eine geheime Erwachseneninformation, aber ihr seid schon erwachsen genug, um mit diesem Wissen zu leben.«

»Weiß Mama Bescheid?«, fragte Nicole unsicher.

»Natürlich weiß Mama Bescheid, sie will aber selbst die Lösungen finden, sonst würden die Rätsel keinen Spaß machen.«

»Kann sich ein Mensch überhaupt unsichtbar machen?«, fragte Sebastian philosophisch.

»Theoretisch schon«, erklärte ich. »Wenn man zum Beispiel mit einer Videokamera das Bild hinter einem Menschen filmt und dann mit geringer Zeitverzögerung das Gefilmte auf diesen Menschen projiziert, wird er absolut unsichtbar. Außerdem gibt es Flugzeuge, die für die Raketenabwehr unsichtbar sind, weil sie keine scharfen Kanten haben und kein Licht reflektieren. Oder die russischen Spione im Ausland: Sie benutzen eine Art Zauberwodka, der sie für alle Nichtrussen unsichtbar macht. Und sicherlich gibt es

auch Zauberkleider. So hatten wir eine Zauberunterhose in der Armee. Es war eine sportliche weiße Unterhose mit einem Delfinmuster drauf. Diese Unterhose wurde im Wirtschaftszimmer unserer Einheit in
einem Metallschrank aufbewahrt und wie das goldene Vlies gehütet.«

Der Verantwortliche für das Wirtschaftszimmer war
ein Usbeke namens Beibut. Jeder Soldat, der sich aus
der Armee verabschiedete, bekam von Beibut diese
Unterhose mit auf den Weg. Er musste aber versprechen, sie unverzüglich wieder zurückzuschicken, sobald er zu Hause war. Generationen von Soldaten
sind in dieser Delfinunterhose nach Hause gefahren.
Mir war der Sinn dieser skurrilen Soldatensitte bis zu
meinem letzten Tag unklar. Der normale sowjetische
Soldat hatte eigentlich keine normalen Unterhosen
an. Im Winter trug er hässliche lange Winterhöschen
unter der Uniform, mit Schnürsenkeln unten und
einem großen Knopf vorne, im Sommer breite
schwarze, die ihm fast bis zu den Knien reichten. Die
schicke Unterhose aus dem Wirtschaftszimmer bedeutete einen ersten Schritt ins zivile Leben. Ich wei-
gerte mich trotzdem, sie an meinem letzten Tag in der
sowjetischen Armee anzuziehen.

»Dummkopf!«, regte sich Beibut auf. »Und wenn
du auf dem Weg nach Hause eine Frau kennenlernst?

Wenn ein romantisches Abenteuer entsteht und du keine anständige Unterhose anhast?«

»Was für ein romantisches Abenteuer? Es sind drei Stunden bis zu mir nach Hause. Und ich habe zwei Jahre im Wald hinter mir, ich will mich erst einmal anständig waschen.«

»Pessimist!«, schimpfte Beibut und drückte mir trotzdem die Delfinunterhose in die Hand. »Jeder, der diese Unterhose anhatte, hat ein Mädchen kennengelernt!« Er zeigte mir die Innenseite. Sie war voller Eintragungen mit Tinte: »Kirill und Natascha« stand da und: »Nikolai und Lena, Sommer 1982«. Die Zauberunterhose zog also die Mädchen zu dem Soldaten, der sie anhatte. Ich ekelte mich trotzdem davor und trug sie nicht – weiß also gar nicht, was mir entgangen ist.

Doch mein Glaube an die Zauberkraft mancher Kleidungsstücke ist ungebrochen. Letztes Jahr kaufte ich mir Turnschuhe einer mir unbekannten chinesischen Marke. Der Kauf war eine Folge meines veränderten Lebenswandels. Vor kurzem hatte ich aufgehört zu rauchen und angefangen zu joggen. Wenn schon, denn schon, dachte ich. Wenn ich schon wie ein Blöder jogge, dann möchte ich dabei wenigstens etwas Vernünftiges tun, zum Beispiel Spanisch lernen. Ich kaufte mir vier CDs mit Spanisch drauf, und

fertig, los. Schon bald stellten sich die ersten Ergebnisse ein: Ich konnte Spanisch, allerdings nur, wenn
ich joggte. Kaum blieb ich stehen, war das Spanisch
wieder weg. Joggte ich weiter, kam *muy bien espanol*
zurück, zu Hause – *absolute lo siento*. Das ist doch *nos
perdimos*? Werde ich jetzt durch Spanien joggen müssen, um mit den Menschen ins Gespräch zu kommen?

Nach reiflicher Überlegung kam ich zu dem Schluss,
dass die chinesischen Turnschuhe an allem schuld
waren. Mein ganzes Spanisch steckte in ihnen. Ich
suchte vergebens den Schuhladen, um den Verkäufer
zu fragen, wie ich mein Spanisch aus seinen Schuhen
wieder herauskriegen könnte, der war aber anscheinend umgezogen. Nur eine »Blume 2000« blühte in
seinem Geschäft.

Der letzte Putsch des
vorigen Jahrhunderts

Die Nachricht vom Putsch erreichte uns mitten beim Tapezieren. In einem alten Haus im Prenzlauer Berg hatten mein Freund Andrej und ich eine Wohnung renoviert – unsere erste in Berlin. Die Wohnung war gut geschnitten und sehr preiswert, sie hatte nur einen Nachteil: ein großes Loch in der Decke. Nicht nur wir waren davon betroffen, sondern auch unsere Nachbarn über uns, die immer wieder zu uns herabstürzten. Nach einer langen Diskussion, wer von uns nun diesen Mangel beheben sollte, wurde das Problem zu Gunsten beider Parteien gelöst. Wir verpflichteten uns, die Decke mit einer Tapete zu überkleben, und die Nachbarn, einen großen Schrank auf das Loch im Boden zu stellen.

Am neunzehnten August begannen wir mit der Arbeit. Andrej rollte die Tapete aus, beschmierte sie mit Kleister und reichte mir das nasse Stück. Ich stand auf einer alten wackeligen Leiter und versuchte, mit beiden Händen und dem Kopf die nasse Tapete an der Decke zu befestigen. Es war schwieriger als fliegen. Die Tapete stürzte immer wieder ab. Wir blieben jedoch hartnäckig und versuchten es immer weiter. Eine tapezierte Decke hatten wir zum ersten Mal in Berlin gesehen, bei uns in Russland hätte man so etwas nicht für möglich gehalten. Wir wollten uns in die neue Gesellschaft integrieren und dachten, wenn die Deutschen alle ihre Decken mit links tapezieren, dann müssten wir das auch können.

Nach zwei Stunden auf der Leiter war ich von Kopf bis Fuß voll mit Tapetenkleister und hätte mich selbst an der Decke festkleben können. Da kam plötzlich im Rundfunk die Nachricht, in Moskau werde geputscht und Michael Gorbatschow, der Hoffnungsträger der jungen russischen Demokratie, werde mit seiner Frau zusammen auf der Krim in seiner Sommerresidenz bei Faros gegen seinen Willen festgehalten. Seine engsten Freunde und Kollegen, unter anderem sein Stell-

vertreter und der Verteidigungsminister, hätten ihn
verraten und sich zu einer Übergangsregierung namens GKCHP – staatliches Komitee des Ausnahme-
zustandes – zusammengeschlossen. Im Fernsehen
verkündete man dann den Ausnahmezustand. Die
Armee kam aus dem Wald und rückte gegen die
Großstädte vor. Die Panzer der berühmten Taman-
Division rollten durch Moskau. Die Fernsehanstalt
war von Kommandos der Sicherheitskräfte besetzt
worden.

Wir ließen alles stehen und liegen und gingen an
die frische Luft. Viele Russen im Prenzlauer Berg
rannten in Scharen von einer Telefonzelle zur anderen und telefonierten und telefonierten. Keiner von
uns hatte damals einen Telefonanschluss zu Hause,
außerdem boten die damals an jeder Ecke stehenden
ostdeutschen Telefonzellen einen seltenen Luxus: Man
konnte von dort stundenlang umsonst nach Russland
telefonieren. Dazu brauchte man nur mit einem Stück
Klebeband eine Angelschnur an einem Groschen zu
befestigen und fertig war die Telefonangel. Der Zau-
bergroschen blieb irgendwo im Automat stecken,
dieser gab daraufhin ein seltsames Ticken von sich,
als würde er andauernd nach dem Groschen schnap-
pen. Die Angelschnur musste man irgendwo außen
am Automaten festmachen, danach konnte man so

lange telefonieren, bis die Warteschlange auf der Straße die Geduld verlor und einen aus der Zelle zerrte. Alle unsere Landsleute in Berlin hatten damals so eine Telefonangel in der Tasche.

Auch Andrej und ich gingen sofort zu einer Telefonzelle. Wir machten uns Sorgen um unsere Freunde und Verwandten in Russland. Allerdings waren alle Zellen schon besetzt, die Telefone liefen heiß. An diesem Tag war es fast unmöglich, nach Russland durchzukommen. In vielen Städten hatten die Putschisten überdies die Telefonnetze gekappt. Der Putsch war an sich für niemanden in Russland eine Überraschung, alle hatten ihn erwartet – außer Gorbatschow anscheinend. Es war ein regelrechtes Familiendrama: Gorbatschows Freunde waren ihm untreu geworden, sie gingen mit einer Militärdiktatur fremd, und alle Welt wusste Bescheid, nur der Betrogene nicht.

Mein Freund Kolja, der in Moskau in einem Haus mit vielen Offizieren wohnte, hat mir einmal erzählt, wie er Ende Juni im Treppenhaus seinem Nachbarn, einem Stabsoberst, begegnet war. Der Offizier veranstaltete gerade eine Party bei sich, und aus seiner Wohnung kam laute Musik. Er war ein wenig betrunken und bat Kolja um eine Zigarette. Mein Freund holte die Schachtel aus der Tasche.

»Darf ich mir zwei nehmen?«, fragte ihn der Oberst.

»Nehmen Sie doch gleich drei«, antwortete Kolja freundlich.

»Bald ist Putsch, wir werden dich nicht vergessen«, sagte der Offizier, klopfte meinem Freund auf die Schulter und ging in seine Wohnung zurück.

Große Teile der Armee waren unzufrieden, sie wurden durch die neue Reformpolitik benachteiligt, und Gorbatschow war bei all seinen Talenten und Visionen eigentlich doch ein Weichei. Ihn auf der Krim festzuhalten, war bestimmt einfacher, als die nasse Tapete an der Decke meiner ersten Berliner Wohnung zu befestigen.

Später am Abend des neunzehnten August wurden die Russenschlangen vor den Telefonzellen im Prenzlauer Berg und sicher auch anderswo langsam kleiner. Viele der politisch engagierten Emigranten pilgerten zur russischen Botschaft Unter den Linden. Dort stellten sie Kerzen an die lange Mauer vor dem Gebäude, die dadurch mit der Zeit ganz schwarz vor Ruß wurde. Die Versammelten beerdigten schließlich vor der Botschaft die junge russische Demokratie. Spät in der Nacht war die Telefonleitung nach Moskau plötzlich wieder frei. Andrej rief seinen Vater an, ich meine Cousine.

Sie erzählte mir: »Auf den Straßen stehen überall Panzer, die Soldaten sind freundlich und beruhigen die Zivilbevölkerung, sie würden unter keinen Umständen schießen, sagen sie.« Im Fernsehen liefe den ganzen Tag *Schwanensee*, und zwar ohne Bild, nur die Musik. Die Putschisten hätten dem Volk nichts mitzuteilen und ließen deswegen Tschaikowski rauf und runter spielen. Die Stimmung sei aber im Allgemeinen gut, jedoch wisse keiner, wie es weitergehe. Als Erstes hätten sich die Menschen spontan zu einem Generalstreik entschieden – keiner hätte gearbeitet.

Für Andrejs Vater wurde der Putsch zu einer echten Tragödie. Seit einer Ewigkeit hatte er von einem ausländischen Auto geträumt. Jahrelang hatte er Geld gespart, und sich endlich, im Sommer 1991, kurz vor dem Putsch, einen alten, kaum noch fahrbaren Mazda 323 auf dem Automarkt gekauft. Anschließend brachte er ihn zu einem Freund in die Werkstatt. Der Automechaniker sollte den Wagen überprüfen und neu lackieren. Am Tag des Putsches war der Wagen fertig. Der Mazda sah jetzt richtig teuer aus. Voller Stolz saß Andrejs Vater am Lenkrad und fuhr nach Hause, der Putsch interessierte ihn nicht. An einer Ampel hielt er hinter einer Panzerkolonne. Als die Ampel auf Grün umsprang, gab der Panzer vor ihm Gas. Der Mazda wurde von einer heißen Auspuffwolke umhüllt und schmolz in wenigen Sekunden dahin. Erst warf er Blasen, wobei die silberne Farbe schwarz anlief und sich mit der schmelzenden Gummidichtung der Frontscheibe vermischte. Dann verzog sich auch noch das Blech, und die Motorhaube sprang auf. Andrejs Vater bekam beinahe einen Herzanfall. Er hechtete aus dem Wagen und lief dem Panzer hinterher. In seiner Wut hätte er die Hundertachtzig-Millimeter-Kanone wahrscheinlich mit bloßen Händen abgebrochen, aber die Panzer waren schneller als er. Als gebrochener Mann kehrte er zu seinem Mazda zurück.

Wir telefonierten die ganze Nacht durch. Das Leben in dem vor kurzem noch wie eingeschlafen wirkenden Moskau schien auf vollen Touren zu laufen. Mein politisch engagierter Schwager ging zusammen mit seinen Freunden zum Barrikadenbau an den Kreml. Sie versuchten, einige Linienbusse umzukippen, damit die Panzer nicht zum Roten Platz vordringen konnten. Aber die Busse waren viel zu schwer. Daraufhin gingen sie zu ihren Gegnern, den Soldaten, die sie baten, ihnen für ein paar Flaschen Wodka zu helfen. Die Soldaten schoben mit ihren Panzern die Busse zusammen, so dass am Ende eine anständige Barrikade gegen das Militär daraus entstand.

Mein Freund und ehemaliger Chef Chukow bekam schrecklichen Verfolgungswahn. Er dachte, die Putschisten würden vor nichts haltmachen und unter Umständen sogar Moskau mit Atomsprengköpfen bombardieren. Also packte er alle Lebensmittelvorräte, die er in seiner Wohnung finden konnte, in einen Rucksack, nahm einen Fünf-Liter-Kanister mit Wasser und das Familienalbum und stieg damit in die Moskauer Kanalisation, um dort zu überleben. Er wollte eigentlich über das Röhrensystem die Stadt verlassen, verlief sich jedoch hoffnungslos, wurde von riesengroßen Ratten angefallen und bekam keine Luft mehr. Am nächsten Morgen stieg er aus der Kanalisation wieder ans Licht – mitten auf dem Lenin-Prospekt. Der Putsch war längst zu Ende, die Panzer nirgendwo mehr zu sehen, nur ganz normale Autos überquerten den Prospekt. Der mutige Jelzin leitete den Widerstand. Innerhalb eines Tages setzte er die Putschisten unter Arrest, schickte die Soldaten zurück in den Wald und befreite Gorbatschow und seine Frau aus ihrem Gefängnis auf der Krim.

Gorbatschow kehrte nach Moskau zurück. Er sah zerstreut und verloren aus. Jelzin wirkte dagegen unverbraucht und weiterhin tatendurstig. Er wandte sich an das Volk und meinte, ab jetzt wäre er Gorbatschow, beziehungsweise, er würde es gerne werden.

Über eine Stunde erzählte er im Fernsehen, wie er unsere Gesellschaft nun bis in die letzten Winkel hinein reformieren wolle. Das war eine nette Abwechslung zur *Schwanensee*-Musik, die bis dahin ununterbrochen im Fernsehen ohne Bild gelaufen war und zum Schluss allen ziemlich auf die Nerven gegangen war. Jelzin kam beim Volk gut an. »Schluss mit *Schwanensee*«, sagte er, »Schluss mit Generalstreik, alle gehen sofort wieder an die Arbeit, wir haben doch so viel zu tun! Die Putschferien sind vorbei.«

Wenig später wurde Jelzin zum Präsidenten ernannt – und damit noch einmal die berühmte Glatzentheorie eines alten sowjetischen Politologen bestätigt. Sie besagt, dass Russland immer schon von kahlen und behaarten Herrschern in harmonischer Abwechslung regiert wird. Eine Glatze an der Macht kann also nur durch eine Nichtglatze ersetzt werden. Laut dieser Theorie durfte man nach dem glatzköpfigen Gorbatschow einen stark behaarten Politiker erwarten. Und so geschah es dann auch. Langsam nahm das Leben wieder seinen gewohnten Gang, die junge russische Demokratie war für diesmal gerettet.

Ich stieg wieder auf die wackelige Leiter in meiner Wohnung, um weiter die Decke im Berliner Zimmer zu tapezieren.

Wo spielt die Musik?

In meinen jungen Jahren habe ich Tontechnik studiert. Die offizielle Bezeichnung meines Berufes lautete »Toningenieur für Rundfunk und Fernsehen«. Meine Diplomarbeit bestand darin, mit zwei anderen angehenden Toningenieuren aus bereits bestehenden Teilen eine Tonbandmaschine zusammenzubasteln. Zwei Monate spielten wir Karten in der Werkstatt oder saßen vor dem Fernseher, gelegentlich schraubten wir auch an dem Gerät herum. Eine Prüfungskommission musste am Ende unsere Arbeit begutachten, aber wir machten uns deswegen keine Sorgen. Mit unserer Tonbandmaschine konnten wir uns sehen lassen, sie war so groß wie ein Kühlschrank, sehr stabil und konnte unglaublich schnell die Bänder hin und her spielen. Sie hatte nur einen kleinen technischen Defekt: Sie konnte nichts abspielen. Die Musik blieb irgendwo zwischen Verstärker und Lautsprechern stecken.

Niemand ist perfekt, dachten wir. Um den Mangel zu kaschieren, legten wir etwas Geld zusammen, kauften eine Kiste tschechisches Bier und stellten sie in die Tonbandmaschine. Unser Plan war ebenso einfach wie überzeugend. Die Prüfungskommission würde die Kiste finden, sich freuen und unsere Arbeit abnehmen. Der für uns zuständige Prüfer stellte sich jedoch zickig an. Er meinte, eine Kiste tschechisches Bier sei nicht ausschlaggebend für die Bemessung der Tonqualität. Nach langen Verhandlungen kamen wir zu dem Schluss, dass eine Kiste guten armenischen Kognaks ausschlaggebend für die Bemessung der Tonqualität wäre.

Diese Diplomarbeit hat uns drei damals in den finanziellen Ruin getrieben. Heute weiß ich, warum unsere Tonbandmaschine nicht funktionierte, doch diese Erkenntnis kommt zwanzig Jahre zu spät. Die Zeit kann man nicht zurückdrehen, der Kognak ist längst ausgetrunken, und die Musik spielt anderswo. Die großen Maschinen gehören der Vergangenheit

an. Heute kommt die Musik aus kleinen, mikrosko-
pischen, fast unsichtbaren Quellen. Sie kommt aus
der Decke oder aus dem Boden, aus kleinen Schlüs-
selanhängern oder Halsketten. Sie kommt aus dem
Nirgendwo. Vor kurzem, als ich im Kino die Toilette
aufsuchen musste, kam die Musik aus dem Klo. Auch
die Nachrichten kamen aus dem Klo. Danach warnte
mich eine höfliche männliche Stimme von unten, der
Film würde in fünf Minuten beginnen. Der Fortschritt
ist unaufhaltsam. Bald wird man auch den Film in
der Toilette übertragen.

Oft kann ich die Musikquelle überhaupt nicht mehr
festmachen. Das beunruhigt mich. Das Altern fängt
damit an, dass man nicht mehr kapiert, wo die Musik
spielt. Neulich saß ich in der U-Bahn. Es war alles
wie immer, der Waggon ziemlich überfüllt. Links von
mir saß ein Mann mit einem Gammelfleisch-Döner
in der Hand, rechts eine Gruppe Teenager, die nur
dann miteinander sprechen konnten, wenn sie weit
voneinander weg saßen. Der kahle Mann in grüner
Jacke mir gegenüber trank ein Bier, dabei hörte er
Musik. Man konnte den Rhythmus sogar noch aus
zwei Metern Entfernung mitbekommen. *Tita, tati,
ups-ups* ... – keine Spur von Kopfhörer, kein CD-
Player, kein iPod. Dabei nickte er heftig mit dem
Kopf im Takt der Musik und wippte mit dem Fuß.

Als ehemaliger Tontechniker konzentrierte ich mich auf die Geräusche, ich wollte unbedingt verstehen, mit welcher Art von Tontechnik ich es hier zu tun hatte.

Bald hatte ich keine Zweifel mehr, die Musik kam aus dem Inneren des Mannes. Er hatte sie anscheinend aus dem Netz in sich heruntergeladen und spielte jetzt die Titel im Kopf ab. Oder etwa doch nicht im Kopf? Ich hatte das Gefühl, eine wichtige Audio-Neuerfindung verpasst zu haben. Die Menschheit war gerade dabei, sich in neue virtuelle Kommunikationsnetze einspinnen zu lassen, und ich hatte es wieder einmal verschlafen. Ich beugte mich unauffällig zu dem Musikmann. Die Melodie kam eindeutig aus seinem Inneren. Jedes Mal, wenn er nickte, wurde sie leiser, wenn er seufzte dagegen lauter. *Titata, tititata.* Er stellte seine Bierflasche auf den Boden und stieg aus. Die Musik blieb aber im Waggon. Falsch geraten, dachte ich, setzte mich zu der Flasche und warf einen Blick hinein: Sie war leer.

Idole

Viele Künstler mögen ihre Fans nicht. Sie wollen ihre Werke in der Öffentlichkeit nicht signieren und versuchen, gleich nach der Veranstaltung durch eine Hintertür zu verschwinden. Sie haben gute Gründe dafür. Sie wissen, dass ihre größten Fans gleichzeitig ihre gefährlichsten Feinde sein können. Bevor John Lennon umgebracht wurde, signierte er dem Mörder eine Platte. Der Schachweltmeister Garri Kasparow signierte einem Studenten sein Schachbrett.

»Ich vergöttere Sie als Schachspieler, aber nicht als Mensch«, sagte der Student und schlug Kasparow das Brett über den Kopf.

Der Weltmeister kam mit einer leichten Gehirnerschütterung davon.

»Ich bin froh«, gab er nachher in einem Interview zu, »dass bei uns in der Sowjetunion Schach und nicht Baseball als Volkssport fungiert.«

Niemand ist vor der Begegnung mit dem ganz großen Fan sicher. Ich schreibe meist sehr dünne Bücher und muss daher keine Angst haben, mit der eigenen Taschenbuchausgabe verdroschen zu werden, trotzdem schlägt mein Herz manchmal schneller, wenn mir meine Leser über den Weg laufen. Neulich kam einer von hinten und tippte mir auf die Schulter, es war gut nach Mitternacht.

»Ich mag Ihren Stil, ich schneide seit Jahren alle Ihre zitty-Kolumnen aus. Trotzdem muss ich Ihnen eine Frage stellen.«

Endstation, alles aussteigen, dachte ich, das ist er, mein ganz großer Fan.

»Ist es schwer, so zu schreiben, wie Sie es tun?«, fragte mich der Unbekannte.

In einer solchen Situation muss man schnell handeln.

»Nein«, sagte ich, »das ist ganz leicht.«

»Die Antwort ist richtig«, flüsterte der Fan und verschwand in der Dunkelheit.

Ich war stolz auf meine eigene Höflichkeit. Die Idole

meiner Jugend waren viel hämischer, die meines Vaters sowieso. Er mochte zum Beispiel den russischen Sänger und Schauspieler Wladimir Wissotzki, dessen verrauchte Stimme jahrzehntelang in jedem Wohnzimmer des Landes zu hören war. Wissotzki galt vielen Männern als Vorbild, die Frauen lagen ihm zu Füßen. Er war mit einer französischen Schauspielerin verheiratet, raste in einem weißen Mercedes durch die Stadt und hatte gleichzeitig den Ruf eines Dissidenten. Die Regierenden suchten seine Nähe, er verachtete sie und geißelte die sozialistische Unfreiheit, natürlich allegorisch:

> Ja, jetzt ist Wolfsjagd angesagt,
> Uns jagen sie heute;
> Die Treiber schreien laut,
> Und furchtbar jault die Meute.

Gleichzeitig spielte Wissotzki in einer berühmten sowjetischen Krimiserie den Polizeikommissar. Im Film erwischte er eine Bande auf frischer Tat während eines Überfalls. Die Bande hatte den guten sowjetischen Namen »Schwarze Katze«. Die Banditen ergaben sich nacheinander, nur ihr Boss, ein böser Krüppel, wollte nicht. Wissotzki, der Kommissar, stand mit einer Pistole in der Hand vor der Tür und schrie: »Und jetzt der Bucklige!« Dieser Satz prägte sich meinem Vater besonders stark ein. Als er einmal auf dem Flughafen von Odessa dem wahren Wissotzki begegnete, streckte er seine Hände aus und rief laut: »Und jetzt der Bucklige! Die Wolfsjagd ist angesagt! Uns jagen sie heute!«

Wissotzki stand auf einer Treppe und rauchte. »Verpiss dich!«, sagte er leise zu meinem Vater.

Trotzdem erzählte mein Vater jedem begeistert von dieser Begegnung.

Wissotzki selbst schrieb in seinen Erinnerungen, wie er einmal im Ausland seinem Vorbild Charles Bronson begegnet war. In einem Hotel sah er den Schauspieler plötzlich auf einer Treppe stehen und rauchen. Wissotzki lief sofort zu ihm.

»Sie hier! Das ist für mich eine große Ehre.«

Der schlecht gelaunte Bronson drehte sich nicht einmal um, er sagte nur: »*Go.*« Deswegen sei er zu seinen Fans stets nett gewesen, schrieb Wissotzki in seinem Buch. Da hatte mein Vater wohl einfach den falschen Tag erwischt.

Ich selbst habe einmal in Moskau mit Frank Zappa zusammen gefrühstückt. Tausendmal versuchte ich, diese Geschichte meinen Freunden zu erzählen, doch sie glaubten mir nicht.

»Hör auf zu spinnen, Frank war nie in Moskau,

das wissen wir genau«, sagten meine Freunde. Wenn meine Kinder groß genug sind, werde ich ihnen von dieser wunderbaren Begegnung erzählen, sie werden mich verstehen. Aber sie werden nicht wissen, wer Frank Zappa war. So ist das Leben vergangen.

Der rote Film

Ein Freund von mir, ein Kameramann, der deutsche Soldaten bei ihrem Friedeneinsatz in Afghanistan begleitete, erzählte einmal, dass die Soldaten dort die Anweisung bekommen hätten, keine verdunkelten Sonnenbrillen zu tragen, weil diese Brillen die afghanischen Männer irritieren könnten. Die Einheimischen verdächtigen nämlich alle bebrillten Soldaten, sie könnten damit durch die Burkas der Frauen sehen.

Natürlich spinnen die Afghanen, sie trauen der Bundeswehr viel zu viel zu. Ich kann mir nicht vorstellen, dass die technische Entwicklung bei der Bundeswehr so weit fortgeschritten ist. Diese Geschichte erinnerte mich allerdings an eine andere Legende, die zu Zeiten meiner sowjetischen Jugend sehr verbreitet war. Es ging um den sogenannten Rotfilm. Man erzählte sich, wenn man mit diesem Film Fotos machte, waren auf den Bildern alle angezogenen Mädchen nackt. Welche Wirkung der rote Film auf angezogene Männer hatte, wurde in der Legende nicht überliefert. Aber die nackten Mädchen waren uns Wunder genug.

Die wildesten Erwartungen pflegte die sozialistische Jugend gegenüber dem kapitalistischen Warensortiment zu haben. Man wusste zu wenig aus erster Hand. Man nahm zum Beispiel an, dass kapitalistische Kaugummis süßer und langlebiger als unsere Kaugummis waren. Man konnte sie angeblich wochenlang kauen. Die kapitalistische Kleidung hatte in Farbe und Design einen deutlichen Vorsprung, die Autos von drüben waren besser als die von hüben konstruiert. Was die Kapitalisten sonst noch alles hatten, wusste niemand genau. Alles schien möglich, und so zweifelte auch keiner am roten Film. So etwas musste es im Westen einfach geben.

Natürlich brachten solche Legenden dem Kapitalismus viele Fans, die alles taten, um einen politischen Wechsel herbeizuführen und um die Mädchen endlich nackt sehen zu können. Dennoch: Als die Wende kam, geschah dies für die meisten unerwartet. Ohne Vorwarnung ergoss sich das kapitalistische Warensortiment über Osteuropa und vergrub uns unter billigem Kaugummi und gebrauchten Autos. An jeder Ecke eröffneten neue Läden, Geschäfte und Kioske. Auch viele Fotogeschäfte machten auf. Sie hatten eine große Auswahl an Fotopapier, an Filmen mit niedriger und hoher Lichtempfindlichkeit, für viel und für wenig Geld, aber ein Rotfilm war nicht dabei. Seitdem denken viele in Russland, die Kapitalisten hätten uns den echten Kapitalismus einfach nicht gegönnt. Sie hätten die besten Sachen für sich behalten, benutzten sie nur im kleinen Kreis, und uns verkauften sie nur Mist. Während wir nun im kapitalistischen Hamsterrad mit Geldverdienen und -ausgeben lebenslänglich beschäftigt sind, liegen sie auf ihren Jachten, knipsen uns nackt und lachen sich tot.

Wladimir Kaminer bei Goldmann

„Erst staunt man. Dann lacht man.
Dann sieht man die Welt mit anderen Augen."
Woman